La memoria

750

Andrea Camilleri

Il casellante

Sellerio editore
Palermo

2008 © Sellerio editore via Siracusa 50 Palermo
e-mail: info@sellerio.it
www.sellerio.it

2008 giugno terza edizione

Camilleri, Andrea <1925>

Il casellante / Andrea Camilleri. Palermo : Sellerio, 2008.
(La memoria ; 750)
EAN 978-88-389-2302-9
853.914 CDD-21

CIP - Biblioteca centrale della Regione siciliana «Alberto Bombace»

Il casellante

Uno

Il treno a scartamento ridotto che si partiva dalla stazioni nica nica di Vigàta-Cannelle diretto a Castellovitrano, ultimo pàisi sirvuto dalla linea, ci mittiva chiossà di 'na mezza jornata per arrivari a distinazioni, dato che le firmate previste erano squasi 'na vintina, a non considerari quelle impreviste dovute a traversamenti di mannare di crape e pecori opuro a qualiche vacca che pinsava bono d'addrummiscirisi 'n mezzo alle rotaie.

I treni in servizio erano come a dù frati gemelli: la locomotiva a carbone col tender che trainava tri vitture passiggeri ognuna con una speci di verandina che di stati viniva addotata di tendine laterali colorate a strisce virdi e rosse per arripararisi dal sole.

La prima vittura e quella di coda erano di terza classe e avivano i sedili di ligno, la vittura mediana era di prima classe e aviva i sedili 'mbottiti e cummigliati di villuto rosso coi poggiatesta bianchi coll'orlo arraccamato. Non esistiva la secunna classe.

Ogni matina alle sei sinni partivano contemporaneamenti, uno da Vigàta e l'altro da Castellovitrano e, doppo essirisi 'ncrociati alla stazioni di Sicudiana, s'appresentavano all'una meno deci ai rispettivi arrivi.

Alle tri del doppopranzo ogni treno ripigliava la strata del ritorno verso il posto da indove sinni era partuto la matina.

Lentissimi erano. Tanto che di stati, prima che le locomotive pigliassero l'acchianata nelle vicinanze della Scala dei Turchi, spisso i passiggeri cchiù picciotti avivano il tempo di spogliarisi, il costumi l'avivano già mittuto al posto delle mutanne, farisi un bagno viloce a mari e riagguantare novamenti il treno, che faticava ancora a mezza costa col sciato grosso, ristannosinni ad asciucare nella verandina.

Pirchì i binari, fatta cizzione di un tratto di 'na decina di chilometri che traversavano la campagna, per tutto il percorso corrivano squasi a ripa di mari. E macari nel tratto campagnolo i cchiù picciotti scinnivano a rifornirisi di frutti e virdure di stascione, ora ciciri virdi, ora fave frische, ora arance e limoni, ora nespole, racina, vircoca. I propietari dei tirreni ogni tanto s'arraggiavano e facivano riacchianare 'n treno i picciottazzi sparanno fucilate in aria.

I passiggeri erano squasi sempre li stissi, commercianti, 'mpiegati, maestri e maestre, studenti e parenti di carzarati. Le ultime dù categorie scinnivano a Vigàta per pigliare la correra o un altro treno che li avrebbi portati a Montelusa indove ci stavano le scole superiori e il granni càrzaro di San Vito.

C'erano macari viddrani e viddrane che pigliavano il treno con sacchi e panara per annare a vinniri nei païsi cchiù grossi ova, ricotta, cacio e macari qualichi gaddrina o coniglio.

S'accanoscivano tutti tra di loro e tutti accanoscivano ai machinisti e ai capotreno che facivano macari da controllori.

Certe volti i treni portavano in partenza liggeri ritardi pirchì qualichi passiggero bituali non era stato puntuali e il capotreno non aviva dato il signale di partenza aspittanno il ritardatario. Tanto che era addivintata di bona creanza avvirtiri il capotreno se uno, il jorno appresso, non sarebbi potuto partiri. Che non l'aspittassero a vacante.

'Na volta, alla cursa delle sei in partenza da Vigàta, non s'appresentò don Jachino Marzo, un sissantino che aviva un nigozio di stoffi a Sicudiana.

Doppo 'na decina di minuti d'aspittata, il capotreno spiò consiglio ai passiggeri: che doviva fari? La maggioranza fu per aspittarlo ancora per tanticchia. Ma don Aitano Fazio, uno dei sette che viaggiavano sempri in prima classi con don Jachino, proponì che qualichiduno annasse a la casa di Marzo, che bitava a quattro passi dalla stazioni, per sintiri che 'ntinzioni aviva. Un volentiroso annò e tornò con la facci seria seria: Jachino Marzo era morto nella nottata, un colpo poplettico. In uno dei vagoni di terza, la maestra Iacolino recitò per tutto il viaggio, 'nzemmula ai presenti, rosari e prighere in suffraggio del frisco difunto. Il jorno del funerali, tra le altre, ci fu 'na corona che portava la scritta: «I passiggeri del treno».

Fatta cizzione degli studenti che s'arripassavano le lezioni e delle maestre e dei maestri che avivano il giornali, gli altri passiggeri non erano gente di lettura e passavano il tempo del viaggio o chiacchiarianno o jocanno a carte, scopa, trissette e briscola.

Per questo i passiggeri si erano tacitamente suddivisi assignannosi posti stabili, in modo pri sempio che i jocatori di carte si potissiro assittare sempri assistimati facci a facci a gruppi di quattro.

C'erano macari dù treni merci che facivano la stissa linea e si comportavano allo stisso modo dei treni passiggeri, sulo che erano composti da 'na locomotiva e cinco vagoni e principiavano il servizio alle quattro del matino.

Alla dominica i treni caminavano squasi vacanti, portavano gente che annava alla fiera di qualichi pàisi opuro, quanno la stascione era aperta, 'na mezza dozzina di cacciatori che scinnivano tutti alla firmata del Vò Marino che era un posto diserto indove quaglie, conigli e lebbri abbunnavano.

Prima d'arrivari a Sicudiana, vinenno da Vigàta, ci stavano tri stazioni e s'incontravano tri caselli, il primo e il secunno vicini ai rispettivi passaggi a livello e il terzo inveci solitario, che aviva di davanti la massicciata con l'unico binario e po' la pilaja e po' il mari, mentri di darrè aviva l'aperta campagna e, luntana, 'na casuzza. Se l'addetto a questo casello aviva di bisogno di annare a fari la spisa nel pàisi cchiù vicino si sirviva di un carrello a quattro roti e a quattro posti funzionanti a pidali che sinni stava in un binarietto morto. Abbastava azionare lo scambio e il carrello si viniva ad attrovare supra al binario principali. Ogni casello ne aviva uno, sirvivano agli operai per la manutenzioni della linea. Naturalmenti abbisognava stari attenti all'ura nella quali uno si sirviva del carrello per annare e tornare. Non si potiva corriri il periglio d'attrovarisi davanti a un merci o a un passiggeri.

I caselli parivano fatti con lo stampino. Pittati di giallo, erano a un piano. In quello tirreno, c'era la càmmara di mangiare, la cucina e il cesso. Oltre alla porta di trasuta, era addotato di 'na finestra laterali. 'Na scala portava al piano di supra indove ci stava la càmmara di letto e 'na cammareddra. La finestra di 'sta càmmara era a perpendicolo supra alla porta di trasuta. Allato a ogni casello c'era 'na speci di ripostiglio 'n muratura che continiva l'attrezzi per la manutenzioni.

La linea a scartamento ridotto, che era stata fatta a mità dell'800, era di 'na compagnia privata, ma al tempo che vinni il fascismo fu d'autorità 'ncorporata nelle Ferrovie dello Stato. E tra le prime cose che il fascismo fici ci fu quella di licinziari a migliara di ferrovieri con l'accusa che erano comunisti o socialisti. 'Na poco di posti di casellanti, che erano quelli indove si travagliava di meno e meno si faticava, vinniro assegnati 'n premio ai manovali o agli operai che si erano addichiarati fascisti dalla prima ora.

Epperciò il terzo casello, il meglio, pirchì era quello indove non avevi manco lo scommodo di girare la manovella per isare e abbasciare le stanghe del passaggio a livello ed era macari addotato nel darrè di un pozzo d'acqua potabili, vinni assignato al camerata ex manovratore Concetto Licalzi che si era particolarmente distinto per aviri denunziato alla polizia fascista quattro colleghi che facivano propaganna comunista.

Concetto Licalzi, quanno nel 1930 pigliò posesso del casello, sintì d'essiri arrivato 'n paradiso.

'Na simanata appresso recintò un pezzo di terra bastevolmenti granni senza addimannari pirmisso al leggittimo propietario e accomenzò a farisi un orto che gli avrebbi fatto sparagnare d'annare a spenniri soldi al mercato. Col pozzo, l'acqua non gli ammancava.

Dù anni appresso, 'na ruffiana gli combinò il matrimonio con una beddra picciotta di Montereale, Agata Purpura. L'anno doppo, nascì un figlio mascolo e lo chiamarono Benito. Dù anni doppo ancora, nascì 'na figlia fìmmina e le desiro il nome di Rachele.

La vita filici di Concetto Licalzi pativa di un liggero offuscamento dù volte al jorno, salvo la dominica, e a orari pricisi. Vale a diri alla matina quanno gli passava davanti il treno che viniva da Castellovitrano e al doppopranzo tardo quanno gli passava davanti il treno che sinni tornava a Castellovitrano.

Affacciato sempri allo stisso finestrino, stati o 'nverno, ci stava un quarantino malo vistuto il quali, appena che lo vidiva davanti al casello, s'impettiva e gli faciva il saluto romano. Ai primi tempi, lui ricambiò il saluto fascista. Po' accomenzò a spiarisi come mai quello non ammancava mai un passaggio senza ripetiri il gesto. Lui manco sapiva chi era.

Accussì un jorno lassò a sò mogliere a guardia del casello, annò alla stazioni di Sicudiana e addimannò 'nformazioni al capotreno. E quello gli disse che il quarantino si chiamava Antonio Schillaci, che piscava ragoste a Fiacca e le annava a vinniri a un ristoranti di Montelusa. Accussì faciva a tempo a ripigliarisi il treno che partiva alle tri da Vigàta.

«Ma 'stu Schillaci havi un frati ferrovieri?».

«Faciva il ferrovieri. È stato ghittato fora dai fascisti».

E allura accapì tutto. Ciccio Schillaci, il frati di Antonio, era uno dei quattro comunisti che lui aviva addenunziato. Si vidi che Antonio aviva saputo che era stato lui epperciò lo salutava fascista apposta, per sfotterlo, per dargli la sconcica.

Non arrispunnì cchiù al saluto. Po' 'na bella matina non arriggì cchiù, pigliò il carrello e annò a denunziare ad Antonio Schillaci al commissario.

Quello, alla fine, lo taliò 'mparpagliato.

«Ma quanno saluta romano fa macari smorfie, dice cose?».

«Nonsi. Saluta romano e basta».

«Ennò, non basta!» fici il commissario.

«Ma se la sò 'ntinzioni è quella di sconcicarimi!».

«Questo lo dici tu. Ma vallo a provare!».

Concetto Licalzi sinni tornò che ghittava foco dalle nasche, come un toro arraggiato. Quanno il treno ripassò nel doppopranzo, era già pronto col dù botti 'mbracciato. Appena Schillaci salutò, lui sparò. Non lo pigliò e Schillaci l'addenunziò per tintato micidio. Concetto Licalzi s'addifinnì dicenno che gli era scappato il colpo. E il commissario fici 'na diffida a Schillaci: quanno il treno passava davanti a quel casello aviva l'obbligo d'affacciarisi, se si voliva affacciari, dal finistrino che dava a parti di mari. Accussì, se gli scappava la nicissità di fari il saluto romano, sinni sarebbiro addunati sulo i gabbiani.

Nel misi di giugno del 1940 Mussolini addichiarò la guerra alla Francia. E dù jorni appresso 'na poco d'aeroplani francisi arrivaro dal mari e si misiro a bombardari e a mitragliari costa costa.

Proprio quella matina Concetto aviva pigliato i sò dù figli per portarli a Sicudiana dal medico. Morero tutti e tri, mitragliati da un caccia che aviva pigliato di mira il carrello scangiannolo chissà per chi cosa.

Agata Purpura sinni tornò nella casa di sò patre e di sò matre con una bona pinsioni. Si rimaritò che non era passato manco un anno.

Novo casellante vinni nominato Pippino Muscarà, ma ci ristò sulo fino alla fini di l'anno 1941, quanno finalmenti arriniscì a essiri trasferuto a un casello perso nelle Madonie, 'n mezzo a dù muntagne. Indove finalmenti sò mogliere Giuvannina potì attrovare paci: fimmina nasciuta e crisciuta nelle campagni di Enna a ottocento metri d'altizza, tutti i jorni che aviva passato nel casello di prima sinni era stata dalla matina alla sira acchianata supra al tetto convinta che prima o po' l'acqua si sarebbi isata tanto da cummigliare almeno il pianoterra.

Nel marzo del 1942 al casello arrivò Nino Zarcuto, trentino, beddro picciotto, àvuto, capilli e occhi nìvuri come l'inca, che non potiva cchiù fari il manovratore pirchì nell'aggancio tra dù vitture aviva avuto pigliata la mano mancina 'n mezzo ai respingenti, pirdennoci l'anulari e il mignolo.

Per la stissa scascione non era potuto partiri sordato a fari la guerra.

Ma l'infortunio non gli aviva 'mpiduto di continuari a sonari il mandolino come un dio. Con l'amico stritto Totò Cozzo, che era parimenti bravo con la chitarra, aviva formato un duo che la dominica o nei jorni festivi sonava nel saloni del meglio varberi di Vigàta, don Amedeo Vassallo.

Spisso i clienti, doppo avirisi fatto la varba o i capilli, sinni ristavano nel saloni per continuari a scialarisilla col concertino.

Quanno pigliò posesso del casello, Nino era già maritato da dù anni con Minica Oliveri, che, come fìmmina, non era né beddra né laida, aviva 'na facci da mogliere, ma era 'na gran travagliatrice. La casa sbrilluccicava sempri come uno specchio, tirata a lucito. Cucinava bono e sapiva macari come fari rennìri alla meglio l'orto. Anzi, si fici flabbicare da Nino 'na gaggia allato all'orto e ci mise le gaddrine. Accussì potivano mangiarisi macari l'ova frischi.

Nino e Minica avivano 'na sula 'ngustia: 'u Signuruzzu non gli mannava figli, per quanto loro dù ce la mittivano tutta.

Ogni dominica matina Nino pigliava il carrello e sinni ghiva a sonari con l'amico Totò. Tornava al casello che era già scuro. E attrovava tutto pronto per mangiari. Sò mogliere, approfittannosi che lui non era pedi pedi, addedicava quella jornata a cusirisi qualichi vistito, pirchì sapiva fari macari questo, o ad arriparari la robba di Nino, cammise, mutanne, quasette.

Aviva 'na bella voci. E ogni dominica sira di primavera e di stati, quanno non passavano cchiù treni, doppo mangiato Nino e Minica pigliavano dù seggie e sinni ghivano ad assittarisi a ripa di mari. Minica cantava e Nino l'accompagnava col mandolino. Po' sinni tornavano al casello, si corcavano e si mittivano di gran gana a travagliare per aviri un figlio.

Passati sei misi e visto e considerato che non c'era verso di fari ristari prena a Minica, marito e mogliere 'na sira si parlaro. E arrivaro alla conclusioni che forsi abbisognava spiare consiglio a qualichi mammana che di 'sti cose ne accapiva, capace che quella strumentiava la cura giusta.

Un doppopranzo Nino sinni partì per Vigàta e sinni tornò qualichi orata appresso con donna Ciccina Pirrò, 'na sittantina che aviva fatto nasciri a mezzo paìsi e che era tinuta in grannissima considerazioni da Pachino a Castellovitrano. La mammana visitò a Minica di dintra e di fora e po' concludì:

«Bona è. Tutto a posto havi».

E mentri diciva 'sti palori, taliava a Nino come a spiargli:

«E tu, bono si?».

Duranti il viaggio di ritorno col carrello, donna Ciccina dissi a Nino di farisi dari 'na taliata da un medico. E gli consigliò il dottori Gerbino di Sicudiana.

Il jorno appresso Nino ci annò. Aspittò nell'anticàmmara un'orata e mezza, dato che non aviva pigliato appuntamento, e po' la 'nfirmera lo fici trasire nello studdio. La vista del dottori lo scantò assà. Àvuto minimo un metro e novanta, pariva un armuàr e torno torno alla facci portava 'na gran varba russa come i capilli.

«Levati pantaluna e mutanne».

Nino bidì arrussicanno per la vrigogna. Il medico glielo maniò a longo e po' disse, dannogli 'na burnìa col tappo e facenno 'nzinga verso un paravento:

«Vattela a fare là dietro».

«Che mi devo fari, scusasse?».

«La minata. Attento che lo spacchio deve annare dintra alla burnìa».

Ci approvò. Ma propio non era cosa.

«Allura?» spiò nirbùso il dottori doppo cinco minuti.

Finalmenti, come Dio vosi, ci arriniscì.

«Torna doppodomani» disse il dottori.

Ci tornò.

«Amico mio, non c'è nenti da fari. Se non avete figli è per un problema tò. Gli spermatozoi sunno debboli e picca assà. E non penso che la facenna si possa arrisolviri con qualichi cura».

Se gli sparava, era meglio.

«Che ti disse 'u dutturi?» gli spiò Minica.

Addecise di contarle la mezza missa.

«Mi disse che dobbiamo continuari a provare. E di tornari da lui tra un sei misi se non capita nenti».

Non se la sintì di dirle subito la virità. Aviva bisogno di tanticchia di tempo.

Che era addivintato d'umori cangiato sinni addunò sulo Totò. E tanto fici e tanto dissi che alla fine Nino gli dovitti acconfidari la facenna.

«Ma lassalo futtiri al dottori Gerbino!».

«Che veni a diri?».

«Veni a diri che io aviva un amico che era nella pricisa 'ntifica situazioni tò e macari a lui Gerbino dissi la stissa cosa che dissi a tia».

«Embè?».

«Po' qualichiduno l'acconsigliò di annare dalla gnà Pillica».

«E cu è?».

«Una di Montereale che ne accapisce d'erbe».

«Come finì?».

«Finì che il mè amico ci annò, quella gli detti un rimeddio e la mogliere ristò prena di dù gemelli».

«Tu lo sai indove abita?».

«Propio allato alla chiesa di san Giurlanno».

Ci annò il jorno appresso. Nell'anticàmmara c'era assittato un sittantino e 'na vecchia stravecchia faciva da aiutanti.

«La gnà Pillica accupata è».

«Io ccà sugnu».

«E prima di vui c'è chisto signuri».

«Io ccà sugnu».

Stavota aspittò dù orate. Finalmenti vinni il sò turno.

S'era immaginato di dovirisi attrovari davanti a 'na vecchia, invece la gnà Pillica era 'na cinquantina vistuta bona, truccata, tutta petto e culo. Trasenno, con un certo sollievo, notò che nella càmmara non c'era paravento. Le spiegò qual era la sò situazioni e le arriferì quello che gli aviva ditto il dottori. La gnà Pillica si misi a ridiri.

«Gerbino mi sta facenno addivintari ricca. Calati cazùna e mutanne».

Nino, con la facci che pariva che gli aviva pigliato foco, si livò i vistimenta 'nfiriori. Ma appena che la gnà Pillica accomenzò a maniarlo, attisò.

Affruntato che avrebbi voluto scompariri sutta terra, principiò a scusarisi.

«Mi... mi deve... ascusare che...».

«Natura è» fici la gnà Pillica continuanno a maniarlo.

Po' lo lassò e annò a pigliari 'na bacinella smartata e la pruì a Nino.

«Tenila a 'na certa distanza. Voglio vidiri che forza havi quanno nesci».

E senza diri né ai né bai, gliela pigliò 'n mano.

Nino, doppo che si era maritato, non aviva praticato con altre fìmmine all'infora di Minica. E siccome la gnà Pillica ci sapiva fari, in meno di cinco minuti la facenna finì.

«Rivestiti».

La gnà Pillica intanto si era mittuta vicino alla finestra a taliare il materiali dintra alla bacinella.

«Semo tanticchia debboli. Ma il rimeddio c'è».

Annò alla cridenza, pigliò 'na burnìa di vitro blu, la pruì a Nino.

«Ccà dintra c'è 'na pomata. Spalmatilla per una simana supra ai cabasisi, ma in chista simana non devi mai toccari a tò mogliere. Doppo, quanno la pomata è finuta, puoi ficcare a volontà. Se non funziona, torna tra tri misi».

La visita e la pomata gli costaro mezzo stipendio.

Ma doppo dù misi, un jorno Minica gli annunziò, con l'occhi sbrilluccicanti di filicità:

«Ninuzzo, amuri mè, aspetto».

Due

Tanticchia di jorni appresso l'annunzio che Minica era gràvita, il capostazioni di Vigàta chiamò al casello di primo matino e avvirtì a Nino che verso le unnici sarebbiro arrivati dù officiali del Genio che avivano di bisogno di vidiri 'na cosa nelle vicinanze. Nino si doviva mittiri a loro disposizioni.

«E come arrivano?».

«Col carrello».

Inveci di dù, i militari erano quattro.

C'era un tinenti, un marisciallo e dù sordati che portavano 'na quantità di parecchi che sirbivano a misurari distanzie e forme del tirreno.

Erano tutti taliàni. Il tinenti, biunno e sicco sicco, disse a Nino di assistimari il carrello col quali erano arrivati nel binario morto, pirchì loro si sarebbiro dovuti firmari 'na mezza jornata, prima di un quattro o cinco orate di travaglio non se ne sarebbiro ghiuti.

«Voliti che dico a mè mogliere di pripararivi qualichi cosa a mezzojorno o all'ura che prifirite?».

«Grazie, abbiamo le nostre razioni. Piuttosto...» arrispunnì il tinenti.

«Dicisse».

«Acqua da bere ne avete?».

«Quanta ne voli vossia. Abbiamo un pozzo».

Salutaro e sinni ghiero a pedi binario binario verso Montereale. Nino vitti che si firmavano a 'na cinquantina di metri e accomenzavano a travagliare.

Doppo un dù orate s'appresentò un sordato con quattro burracci.

«Ci siamo bevuta tutta l'acqua. C'è un sole terribile. Ce le potete riempire?».

«Pozzo fari 'na proposta?» spiò Nino.

«Che proposta?».

«E se ne inchio dù d'acqua e dù di vino bono?».

L'occhi del sordato sbrilluccicarono.

«Mi pare una buona idea».

Nino aviva 'na vutticeddra squasi china, dato che lui viviva picca e Minica era stremia.

«Che doviti fari?».

«Stiamo facendo i rilievi per la costruzione di una linea fortificata di bunker lungo la costa. A una cinquantina di metri da qui, verso Montereale, allineato al casello, ce ne sarà uno e un altro, simmetrico, a destra verso Sicudiana. Arriveremo oltre Fiacca».

«Scusasse, ma che sono 'sti bunker?».

«Sono piccoli fortini interrati, in cemento armato, all'esterno emerge poco più della calotta, e hanno una grande feritoia dalla quale si può sparare con la mitragliatrice».

«E quanno accomenzerete a farli?».

«Quando avremo terminato tutti i rilievi necessari. Penso tra una quindicina di giorni».

'Na dominica sira che avivano appena finuto di sonari nel saloni, il varberi don Amedeo Vassallo, doppo aviri dato a Totò e a Nino le cinque lire a testa che era quanto stabilito per ogni concertino, invece di salutarli come a 'u solito, disse:

«Aspittati un momento».

E annò a chiuiri la porta in modo che non potiva trasire qualichi clienti ritardatario.

«C'è cosa, don Amedè?» spiò Nino.

«Se portati cinco minuti di pacienza, ora arriva 'na pirsona che mi dissi che vi voli parlari».

«Vidisse che non voglio tornari tardo al casello».

«Quello omo di palora è. Se dissi cinco minuti saranno cinco minuti».

«E cu è 'sta pirsona?».

Don Amedeo parse che non aviva sintuto. Si livò il cammisi bianco, scomparì nello sgabuzzino che c'era darrè al saloni, ricomparì con una scopa e si misi a puliziari 'n terra.

Totò e Nino s'assittaro nelle pultrune girevoli e aspittaro. Doppo tanticchia tuppiarono a leggio e don Amedeo annò a raprire.

«Bona sira a tutti» salutò don Simone Tallarita trasenno.

«Baciolemani» fici don Amedeo.

«Baciolemani» dissiro in coro Totò e Nino susennosi addritta.

Don Simone Tallarita era omo di rispetto e miritava rispetto.

«Commodi, picciotti» ordinò don Simone piglianno posto nella terza pultruna.

E po', arrivolto a don Amedeo:

«Amedè, dammi 'na spuntatura».

«Subito».

Il varberi si rimisi il cammisi bianco, pigliò la forfici e il pettini e principiò a travagliare 'n silenzio. Manco don Simone parlò.

Totò e Nino si taliaro di straforo. Che voliva da loro don Simone? Certo non li aviva fatto aspittari pirchì assistissiro al taglio dei capilli. Po', sulo doppo che ebbi persino spazzolata la giacchetta, don Simone s'addecisi a parlari.

«Picciotti, haio di bisogno di un favori».

«All'ordini».

«Dumani a sira, a mezzanotti spaccati, m'aviti a fari 'na sirinata».

Totò e Nino strammaro.

A sittant'anni passati don Simone pinsava ancora alle fìmmine? Possibili mai che si era 'nnamurato come un picciotteddro?

Ma don Simone, era cosa cognita, sapiva leggiri nella testa delle pirsone che aviva davanti. E manco stavota fagliò. Sorridì e disse:

«Naturalmenti non è per mia. È per un amico».

«Ci dicisse l'indirizzo» disse Nino.

«Via Madonna del Carmine 18. Non vi potiti sbagliari, è 'na casa a un sulo piano».

«Vabbeni, don Simone. 'St'amico sò havi prifirenza per qualichi canzoni 'n particolari?» spiò ancora Nino.

«Sì. Chi canta di voi dù?».

«Io» fici Totò.

«Tu devi cantare 'na canzuna e basta».

«Una sula?».

«Una sula».

«E qual è?».

«La crapa havi li corna».

Totò e Nino ammutolero.

Non era 'na sirinata d'amuri, ma voliva che cantavano 'na canzoni a sconcica per un omo. 'Na canzoni ch'era pejo d'un'offisa, d'una sputazzata 'n facci. E doviva essiri adattata a secunno a chi era distinata. 'Na facenna perigliosa assà, che potiva finiri a schifìo, a sparatine e cutiddrate.

«E a cu è destinata la canzoni?» spiò Nino con la vucca fattasi di colpo asciutta.

«Si chiama Giuggiù Mirabello. L'accanosciti?».

«Nonsi».

«È un quaquaraquà che si cridi omo. Se mentri sonate s'affaccia e vi minazza, facitigli un pirito. Sicuro che lo scangia per un colpo di pistola e si caca. Semo d'accordo?».

«D'accordo».

«Quanto vi devo per il distrubbo?».

«Nenti» fici pronto Totò.

«Piaciri nostro è» rincalzò Nino.

Si potiva spiare dinaro a uno come a Tallarita?

«A buon rendere. Bona notti a tutti».

27

Il varberi corrì a rapririgli la porta e don Simone sinni niscì.

«Ma vossia l'acconosce a 'stu Mirabello?» spiò Totò.

«Certo. Quanno aviva quinnici anni ammazzò a uno. E ora pari che ha fatto uno sgarbo a don Simone. Tornò proprio oggi dal viaggio di nozzi a Pompei».

«Minchia! E quindi noi annamo a cantargli che è cornuto mentri che sinni sta corcato con la mogliere allato?».

Il varberi allargò le vrazza.

Nino sinni tornò a la casa e vitti, passanno, che i sordati del Genio non s'arriposavano manco la dominica. 'N mezzo alla campagna c'erano fermi quattro camion, uno aviva supra 'na gru e un altro portava un granni faro che illuminava che pariva jorno chino il fosso indove travagliavano 'na decina di sordati.

Nino passò 'na mala nuttata. Si votava e s'arrivotava nel letto pinsanno a quello che avrebbi dovuto fari con Totò la notti appresso per incarrico di don Simone Tallarita.

«Ma si pò sapiri che hai?» spiò Minica a un certo punto.

«Nenti, nenti, mangiai di prescia e il mangiari m'acchiummò».

Scinnì iuso a vivirisi tanticchia d'acqua. S'affacciò alla finestra. I sordati travagliavano, il granni faro era ancora addrumato.

L'indomani a sira sinni partì dal casello alle deci e mezza, ma cinquanta metri doppo dovitti firmare il carrello. Supra ai binari c'era un blocco di cimento armato che la gru stava sollevanno.

«Un minuto di pazienza» disse uno dei dù sordati che sorvegliavano l'operazioni.

«Mentre tua moglie dorme, te ne vai a trovare l'amichetta?» spiò l'altro ridenno.

Oramà, coi deci sordati che travagliavano alla costruzioni del bunker, s'accanoscivano bono. Tanto che aviva dovuto accattari un'altra vutticeddra di vino.

Arrivò all'appuntamento con Totò, fissato per le unnici e mezza davanti al cafè Castiglione che a quell'ura era già chiuso.

«Te l'invintasti le palori?» spiò Nino a Totò.

«Sì».

«E come fanno?».

Totò attaccò cantanno a mezza voci:

La crapa havi le corna,
ma c'è 'na cosa che non mi torna,
com'è che, caro Giuggiù,
le corna ce l'hai puro tu?
Macari il toro tiene le corna,
ma c'è 'na cosa che non mi torna,
com'è che tu, mio caro becco,
ce l'hai cchiù avute dello stambecco?
Se ci ripenso alle tue corna
vedo che tutto inveci mi torna,
tu sei cornuto, mio Mirabello,
pirchì a 'na vacca donasti l'anello.

«Ti pare che abbasta o l'allongo?».

«Abbasta e assuperchia, Totò. Quello ci spara prima, appena senti che la sirinata è per lui» disse Nino avviannosi.

Tutte le luci della casa a un piano di via della Madonna del Carmine nummaro 18 erano astutate, come del resto lo erano quelle delle case allato. Nella strata non c'era arma criata.

Totò e Nino addecidero di stari il cchiù possibili l'uno luntano dall'altro, accussì se Mirabello rapriva il finistrone della càmmara di dormiri e si mittiva a sparari sarebbi stato difficili pigliarli a tutti e dù.

Appena che il ralogio del municipio finì di battiri dodici colpi, attaccaro.

Alla fine della prima quartina, 'na finestra della casa a mano manca s'addrumò e comparse un omo. Lo stisso capitò nella casa a mano dritta alla fine della secunna strofa.

Ma il finistrone di Mirabello ristò sempri 'nserrato e astutato.

Quanno tornò, i sordati stavano finenno di mettiri la cupola massiccia e grigia del bunker. Sicuramenti, entro dù o tri jorni avrebbero principiato a travagliare all'altro appresso.

Raprì la porta del casello, acchianò la scala e accomenzò a spogliarisi allo scuro per non arrisbigliare a Minica.

«Vigliante sugnu» fici 'nveci sò mogliere.

«E pirchì non dormi?».

«Mi scantai».

«Ti scantasti?» spiò Nino addrumanno la luci.

E notò subito che Minica era veramenti appagnata. Il sò cuscino era tutto vagnato di sudori.

«Che fu?».

«'Na mezzorata fa vinni uno a tuppiare».

«E che voliva?».

«Nun lo saccio. Voliva che io rapriva. Parlava taliàno».

«Allura era uno di 'sti sordati!».

«Di sicuro».

«E po'?».

«E po' nenti. Visto che non raprivo, sinni ghì santianno. Capace che voliva sulo tanticchia d'acqua, ma io mi scantavo e non ci raprii».

«Bono facisti».

L'indomani a matino, annanno a inchiri dal pozzo dù quartare che sirvivano per la casa, notò che il livello dell'acqua si era abbasciato assà.

Il pozzo era profunno sei metri ed era sempri chino la mità. Ora inveci l'acqua s'attrovava a un quarto.

Possibili che si era spardata a scascione di tutti i sordati che vinivano a farisi inchiri le burracci?

D'altra parti, come faciva a diricci di no? Siccome che con quell'acqua ci annaffiavano macari l'orto, Nino disse a Minica di sparagnarla.

«E come?».

«Tu ce la dai matina e sira. Inveci piccamora gliela dai 'na sula vota, o la matina o la sira».

«Propio ora che ce n'è cchiù di bisogno?».

«Porta pacienza ancora per 'na decina di jorni. Po' 'sta camurria di bunker finiscino».

Il bunker a mano manca infatti finì d'essiri flabbicato la sira di martidì e la matina appresso i sordati accomenzarono a travagliare all'altro, quello a mano dritta, sempri a 'na cinquantina di metri di distanzia dal casello.

Ma il jovidì sira Nino s'addunò che dintra al pozzo non c'era cchiù acqua. O meglio, cinni stava un dito 'n funno, ma non si potiva viviri pirchì era lorda di fango. Il vinniridì matino vinni un sordato con le burracci e Nino gli fici vidiri il pozzo. Il sordato sinni ghì e doppo 'na mezzorata arrivò il tinenti biunno e sicco sicco, con una speci di pertica di metallo fatta a cannocchiali, che spiò di taliare il pozzo. Po' ci calò la pertica dintra, la fici toccari il funno, la tirò fora. C'erano cinco centimetri d'acqua. Ricalò la pertica e la lassò addritta, 'nfilata nel fango.

«Credo che siamo stati noi» dissi alla fine.

«Allura è cosa momintanea? Si è spardata troppa acqua?».

«No, credo che a causa dei lavori che abbiamo fatto per i bunker, la falda si sia spostata, andando più giù».

«Allura non c'è nenti da fari?».

«Non è detto. Per oggi non prenda più acqua e non tocchi la pertica. Torno stasera prima che faccia buio».

'Nzumma, dovitti pigliari il carrello portannosi appresso tri quartare e farisi deci chilometri all'annata e deci al ritorno per aviri l'acqua nicissaria.

Alle setti di sira tornò il tinenti vistuto di fatica, con dù sordati che portavano 'na speci di trapano granni, un rotolo di corda grossa e dù potenti torce, e cavò dal pozzo la pertica. Sempri cinco centilimetri c'erano.

«Ora vado giù».

I dù sordati, che erano belli stacciuti, tinivano un capo della corda mentri il tinenti sinni scinniva. Arrivato che fu 'n funno, Nino misi le torce dintra al cato e gliele calò.

«Tirate su la corda e imbracate la sonda».

A farla brevi, il tinenti riacchianò doppo 'na mezzorata, tutto lordo di fango.

«La falda si è spostata di un cinque, sei metri al massimo più in basso».

«Che fazzo? Abberto le ferrovie?».

«No, non è il caso. Quelli vi faranno aspettare mesi. Noi invece abbiamo tutto l'occorrente a portata di mano. Noi abbiamo fatto il danno e noi dobbiamo riparare. Domani mattina alle sei torno con quattro uomini».

Travagliaro tutta la matinata. Ma al poviro orto ficiro un gran danno. Infatti il matriale che scavavano e che viniva portato a livello terra con un sistema di carrucole, lo ghittavano alla come veni veni cummiglianno la 'nsalateddra, gli sparaceddri, la lattuca, il vasalicò, il tinnirume, le cucuzzeddre. Nino dovitti consolari a Minica che sinni era trasuta 'n casa a chiangiri.

«L'orto mi cunsumaro, 'sti disgraziati!».

«Raggiuna, babba, se non avivi l'acqua, l'orto ti moriva!».

Alle quattro di doppopranzo finero. Il tinenti 'nfilò la pertica e la lassò.

«Domattina presto ripasso».

Ora il pozzo era funnuto quinnici metri. I sordati gli lassaro un granni rotolo di corda grossa e quinnici metri di corda cchiù fina per attaccarici il cato.

Il jorno appresso, che era dominica, il tinenti s'appresentò alle setti, tirò fora la pertica. Il livello dell'acqua era di deci centilimetri.

«Vedete? Lasciatela per un po' sedimentare. Provate a vedere verso mercoledì se torna limpida».

Nino sinni partì un'orata appresso per Vigàta. Con Totò, come sempri, s'attrovavano davanti al cafè Castiglione e da lì annavano al saloni ch'era situato verso la fini del corso.

Quanno arrivò, Totò già l'aspittava. Aviva la facci nìvura.

«C'è cosa?».

«Non l'hai saputo?».

«Che dovivo sapiri?».

«Ammazzaro a Giuggiù Mirabello».

«Minchia! E cu fu?».

«Non si sa. Ma dicinu che era ghiuto ad addimannari spiegazioni per la sirinata. E la spiegazioni gliel'hanno data con una Smith e Wesson».

«Buttana della miseria! Lo sai che significa?».

«Lo saccio. Che i carrabbineri vorranno sapiri da noi come annò la facenna. Nei guai semu, Nino».

Nel saloni c'erano tri clienti assittati nelle pultrune. Appena che li vitti, don Amedeo disse:

«Oggi nenti concertino».

«E pirchì?».

«Don Simone Tallarita m'ha consigliato di fari accussì. Per rispetto al sò amico Giuggiù Mirabello. E m'ha ditto di pagarivi lo stisso».

Sinni niscero. Ma furono raggiunti fora da don Amedeo che non voliva parlari in prisenza dei clienti.

«Mi dissi macari di dirivi che non vi doviti scantare per la liggi. Ai carrabbineri è stato arriferito che a fari la sirinata foro dù vinuti apposta da Palermo».

Tre

Epperciò, avenno la jornata di dominica libbira, sinni tornò al casello e si misi a puliziare l'orto da tutto il fango che i sordati ci avivano ghittato supra alla sanfasò. Travagliò con la carriola e la pala, e alla fini, il danno non gli parse accussì gravi come 'nveci aviva pinsato Minica e macari lui stisso. La chiamò, le fici vidiri che l'insalateddra e le altre chiantine si sarebbiro presto arripigliate, ma quella le taliò, isò le spalli e disse che comunque i sordati portavano sempri guasto.

Quanno Minica amminchiava supra a 'na cosa, non c'era verso di farle cangiare pinsero.

A sira, doppo che l'ultimi dù treni erano passati, Nino disse alla mogliere che al ginematò di Vigàta facivano 'na bella pillicola che s'acchiamava «Abbuna Messias» e che lui aviva gana di vidirisilla. Aviva macari pigliato puntamento con Totò. Pirchì non ci viniva puro lei? Minica arrefutò, dissi che aviva tanti cosi da fari casa casa. E po', a lei, il ginematò non piaciva.

Tutte quelle ùmmire supra a un linzolo le facivano 'mpressioni. Nino perciò sinni partì da sulo col carrello e arrivò a tempo per l'ultima proiezione che accomenzava alle otto e finiva alle deci.

All'unnici, fu di ritorno al casello.

S'addunò, mentri mittiva il carrello nel binario morto, che un filo di luci della càmmara di dormiri passava attraverso la pirsiana che non chiuiva bona. L'indomani l'avrebbi dovuta riparari, certi volti quelli dell'Unpa caminavano di notti campagne campagne e pigliavano la multa a chi non arrispittava l'oscuramento.

Minica era ancora vigliante o si era addrummisciuta scordannosi la luci addrumata?

Tentò di rapriri la porta, ma non ci arriniscì. Il chiavino girava, però l'anta ristava 'nserrata. Vuoi vidiri che quella santa fìmmina ci aviva mittuto la sbarra di ferro? Allura si misi a chiamarla.

«Minica, rapri, iu sugnu!».

Sò mogliere doviva essiri darrè la porta, pirchì sintì subito la rumorata della sbarra che viniva livata. E infatti appena trasì, Minica, in cammisa di notti e pedi scàvusi, lo taliò con l'occhi spirdati e po' l'abbrazzò stritto, trimulianno tutta.

«Ma che fu?».

«Tornaro a tuppiare».

«Come all'altra dominica?».

«No, stavota erano dù. Uno era quello vinuto prima, lo raccanoscii dalla voci, l'altro era novo. Siccome che dopo aviri tuppiato si misiro a pigliare la porta a spallati e a pidati, io scinnii ccà sutta di cursa e ci misi la sbarra. Doppo tanticchia, videnno che non arriniscivano a trasire, sinni ghiero santianno».

«Tuppiaro sulo o ti dissiro cose?».

«Uno, sempri lo stisso, quello di prima, mi dissi che avrebbi fatto un sirbizietto svelto con mia che però mi sarebbi piaciuto assà assà e che non l'avrebbi mai saputo nisciuno».

«E l'altro?».

«L'altro mi diciva di rapriri la porta pirchì l'amico sò aviva perso la testa per mia. Di nomi fa Ivan, sintii che l'altro lo chiamava accussì».

«Puro lui parlava taliàno?».

«Sì».

Si ghiero a corcare.

Ma cinni vosi, per pigliari sonno! Ogni tanto tornavano all'argomento.

«È chiaro che sanno che la dominica io torno tardo» concludì a un certo punto Nino. «E si addunano che sugno ancora fora dal fatto che ammanca il carrello. Veni a dire che la dominica che veni io non vado a fari il concertino e minni resto ccà. Tanto questi massimo massimo tra otto jorni finiscino di travagliare nei paraggi e sinni vanno».

«Scusami» fici Minica. «Pirchì ti vuoi perdiri il concertino? Cinco lire sunno cinco lire. Dumani a matino vai a parlari col tinenti e gli conti la storia. Il tinenti mi pari 'na pirsona seria».

«'Na bona pinsata facisti».

La guerra, che pariva scordata, si rifici viva 'mprovisa propio all'indomani matino alle setti sutta la forma di sei aeroplani che tutto 'nzemmula comparsero dal mari addiretti verso Vigàta. La contraerea raprì il foco, ma non ne pigliò manco a uno. E l'aeroplani, doppo aviri bommardato il porto, si misiro 'n fila uno appresso all'altro e mitragliaro parmo a parmo la linea Vigàta-Castellovitrano, ammazzanno a deci passiggeri, quattro di un treno e sei dell'altro. Inveci supra ai sordati che stavano travaglianno a flabbicare il bunker ci ghittarono 'na bumma nica. Forsi l'urtima che avivano a bordo. Nino, che stava ghienno a parlari col tinenti caminanno a pedi 'n mezzo alle rotaie, s'attrovava a mità strata quanno arrivaro l'aeroplani. Di subito scappò e annò a ghittarisi 'n terra sutta a un àrbolo d'aulivo distanti dai binari. Po', appena la mitragliata passò, ancora 'ntronato dallo scoppio della bumma e dalla potenti rumorata dell'aerei che volavano a vascia quota e che era cchiù forti del ratatà delle mitragliere, si susì e si misi a corriri verso il casello.

Attrovò a Minica nell'orto, apparalizzata dallo scanto. Allura la pigliò per una mano e l'obbligò a corriri cchiù lontano possibili, verso l'aperta campagna.

Tornaro al casello 'na mezzorata appresso. Il tilefono sonava. Era il capostazioni di Montereale che voliva sapiri se la linea aviva avuto danno.

Era un controllo da fari subito, pirchì doviva passari d'urgenza un treno militari. Nino agguantò il carrello e sinni partì.

Quanno arrivò all'altizza del bunker in flabbicazione, un sordato gli dissi che la bumma aviva ammazzato al tinenti e a dù sordati. Sinni dispiacì assà per il tinenti.

Un'orata appresso richiamò a Montereale e arrifirì al capostazioni che, per quanto arriguardava il tratto che gli era stato assignato, la linea era a posto. I treni potivano passare.

Nel primo doppopranzo di quella stissa mallitta jornata, Minica accomenzò a sintiri un gran duluri alla panza. Forsi la scascione era stata lo scanto e la curruta della matinata. Nino la pigliò 'n potiri come se era una picciliddra, acchianò la scala e la stinnicchiò supra al letto.

Ma siccome il duluri continuava, pigliò il carrello e, pidalanno come un dispirato, currì a Vigàta e tornò con la mammana Ciccina Pirrò.

La quali, a conclusioni della visita, dissi che non c'era piricolo 'mmidiato di perdiri la criatura, che per il duluri c'era sulo bisogno d'arriposo, però era nicissario che Minica sinni stava il cchiù possibili corcata, e, quanno si susiva, non doviva né faticare né portare pisi.

«Posso cucinari?».

«Quello sì».

Riaccompagnata la mammana e tornato al casello, Nino era accussì stanco che si ghittò per morto supra al letto allato alla mogliere.

E alla sira non ebbi manco la forza di susirisi e priparari qualichi cosa di mangiari.

L'indomani a matino, quanno s'arrisbigliò annò nell'orto e vitti che la pertica 'nfilata 'n mezzo al pozzo ora sinni stava calata tutta da un lato, tanto che s'appuiava al bordo.

Inveci di controllari pirchì la pertica stava accussì, taliò nel gaddrinaro e s'addunò che le gaddrine avivano fatto quattro ova càvude càvude. Allura uno lo sbattì a leggio contro il muro del casello, prima da 'na parti e po' dall'altra in modo da fari dù pirtusi nichi nichi, e se lo sucò. Dù li lassò nella càmmara di sutta e il quarto l'acchianò a Minica che se lo sucò macari lei ancora mezzo addrummisciuta. Il duluri le era passato e si voliva susiri per dari adenzia alla casa, ma Nino la pirsuadì a ristari corcata.

Tornò nell'orto per vidiri che era capitato alla pertica. Si misi a panza sutta, tinennosi in equilibrio supra alle petri 'nquacinate che facivano da bordo e si sforzò di taliare cchiù a funno che potì. Doppo tanticchia, si fici capace che 'na parti della pareti interna era franata e che il matriale era annato a finiri propio alla base della pertica inclinannola.

Abbisognava scinniricci e livari la terra caduta. Per fortuna i sordati avivano lassato un rotolo di corda grossa. E nel magazzineddro dell'attrezzi c'erano macari 'na carrucola granni, un cato di vinti litra e altre tri carriole.

Sulo che non aviva gana di mittirisi a travagliare subito, tutto l'avanti e narrè col carrello del jorno prima gli faciva ancora doliri le gamme.

Quanno passò il treno che da Vigàta annava a Castellovitrano, s'addunò che, sul davanti della locomotiva, il fascio littorio di ramo 'ndorato che ci era stato saldato qualichi anno avanti, era cummigliato da 'na pezza di panno nìvuro in signo di lutto per le povire armuzze dei viaggiatori che erano morti mitragliati. E macari supra alla locomotiva del treno Castellovitrano-Vigàta, che passò cchiù tardo, c'era lo stisso signo di lutto. Si vidi che i dù capotreni si erano appattati.

Po', nel doppopranzo, capitò 'na cosa stramma. Vali a diri che il treno di ritorno, il Vigàta-Castellovitrano, che doviva passari alle cinco, non passò né alle cinco e manco alle cinco e mezza.

Alle sei, Nino s'apprioccupò. Rumorata d'aerei e sparatorie luntane non ne aviva sintute, capace che era successo un qualichi 'ncidenti a un passaggio a livello. Allura tilefonò al capostazioni di Vigàta per avvirtirlo.

«Sentite, il treno non...».

«Lo so, lo so».

«Siccome che tra 'na mezzorata devi passari l'altro, quello che veni a Vigàta, e 'nzamà Signuri attrova il binario accupato...».

«Non vi pigliate preoccupazioni, il treno da qua non è partito, è fermo alla stazione e l'altro l'hanno bloccato a Sicudiana. Sono stati avvertiti a tempo».

«Ma che è successo?».

«Per ora qua c'è gente, scusate».

Che viniva a significari?

Verso l'otto di sira fu il capostazioni di Vigàta a chiamarlo.

«Ora ora partì».

«Ma non me lo potiti diri che è successo?».

«Piccamora che non c'è nisciuno torno torno sì. Il segretario politico di Vigàta, il cavaleri Pippino Ingargiola, che era vinuto alla stazioni per accompagnari a sò mogliere che doviva partirisinni per Fiacca, s'addunò per caso che avivano mittuto il lutto supra alla locomotiva e si misi a fari voci che doviva essiri livato subito».

«E pirchì?».

«Pirchì secunno lui cummigliava il fascio. E, sempri secunno lui, la cosa era stata fatta apposta. Allura don Gaspano, il capotreno, che era affezzionato ai passiggeri morti, gli arrispunnì di darisi 'na carmata, che lui non livava 'na minchia. Mentri che discutivano, arrivò Attilio il machinista e mannò a fari 'n culu al cavaleri Ingargiola. A faritilla brevi, vinniro i carrabbineri e arristaro a don Gaspano e ad Attilio. Epperciò abbiamo dovuto aspittari che arrivava un capotreno da Montelusa e un machinista da Xirbi».

Il jorno appresso si susì alle sett'arbe e annò a taliare il pozzo. Non c'erano state altre frane. Dal magazzineddro, facenno dù viaggi, pigliò la corda, il cato, la carrucola e le tri carriole che assistimò accostate al pozzo. Per mettiri la carrucola a ponti da 'na parti e l'altra del bordo c'impiegò un'orata, usanno un martello da spaccapetri per farla trasire a funno 'n mezzo alle petri.

La martiddriata arrisbigliò a Minica che scinnì nell'orto e si vippi un ovo frisco. Non ci fu verso di farla tornare a corcarsi.

Nino attaccò il cato granni a una delle dù corde della carrucola e legò 'na cima della corda grossa a un gancio di ferro che nisciva dal muro di darrè del casello. Il resto del rotolo lo ghittò dintra al pozzo. Ora era pronto.

Spiegò a Minica quello che doviva fari, si spogliò ristanno in mutanne e si calò tinenno coi denti l'aneddro della torcia addrumata. I dita che gli ammancavano non gli portavano fastiddio.

Quanno toccò terra, la fanghiglia gli arrivò a mezza gamma.

E subito si fici capace di dù cose: la prima fu che erano franate 'na poco delle petri che rivestivano l'interno del pozzo e che la terra caduta di conseguenzia era picca; la secunna fu che quelle petri, cadenno, avivano fatto comparire uno spacco, 'na fenditura, larga 'n'ottantina di centilimetri, che principiava mezzo metro sutta alla linea dello scavo fatto dai sordati e finiva a mezzo metro dal funno. 'Nzumma, lo spacco era àvuto chiossà di dù metri.

Le petri erano sciddricate pirchì non avivano cchiù indove appuiare. Nino si misi ad assistimare le petri cadute a sostegno delle altre che ancora riggivano la pareti. Ma non abbastaro.

Allura riacchianò, pigliò 'na carriola, la inchì di traversine di ligno che tiniva in magazzino e con quelle fici 'na speci di basamento in modo che le petri non potivano cchiù sciddricare.

Per fari questo travaglio, gli passò tutta la matinata.

Nel doppopranzo si calò novamenti e accomenzò a livari la terra dal funno. Inchiva il cato grosso e lo fa-

44

civa acchianari fino al bordo tiranno l'altra corda della carrucola. Minica allura pigliava il cato sospiso, lo portava dalla sò parti e lo 'nclinava sbacantannolo dintra a 'na carriola. Accussì non faciva nisciuna faticata. Appena che le tri carriole erano chine, calava la testa verso l'interno del pozzo e avvertiva al marito. Nino riacchianava, agguantava la prima carriola e l'annava a sbacantare vicino ai binari. Faciva l'istisso con le altre dù e po' si calava di novo dintra. Finì alle setti di sira, ma il pozzo ora era completamenti puliziato.

Nella matinata appresso si calò novamenti. Minica durmiva. Voliva vidiri se lo spacco nella pareti si potiva allargari ancora provocanno un'altra frana. Aviva cangiato la pila alla torcia. L'acqua nel funno era arrivata a 'na vintina di centilimetri, ma era ancora assà trubbola, abbisognava lassarla quieta per qualichi jorno.

Talianno con la torcia, vitti che lo spacco continuava dintra alla terra ed era tanto àvuto che uno ci potiva stari addritta. Trasì.

S'attrovò dintra a 'na speci di gallaria ricavata nella marna bianca, tutta 'n liggera salita. Potiva essiri longa un quattro metri. Se la fici e di colpo s'attrovò dintra a 'na grutta, àvuta un dù metri e mezzo e larga un tri metri. Era stata scavata dall'omo, non era cosa naturali, va a sapiri quanti centinara d'anni avanti. Ancora si vidivano i segni dei piconi coi quali la marna era stata attaccata per ricavare quello spazio che doviva essiri sirvuto un tempo a tiniricci carzarato qualichi poviro disgraziato, o forsi ci si era ammucciato un briganti. L'aria dintra alla grutta era frisca e asciutta. Po', proprio mentri si stava giranno per nesciri, notò la crozza di morto 'n terra. S'avvicinò, la taliò meglio illuminannola con la torcia. Non c'era sulo la crozza, ma macari altre ossa stavano sparpagliate torno torno. Era difficili arriconoscerle, bianche com'erano, dintra a tutto il bianco della marna.

Le lassò indove stavano, si rifici la gallaria e niscì fora dal pozzo.

Lo taliò dall'imboccatura facennosi luci con la torcia. Lo spacco nella pareti dall'àvuto non si vidiva.

Si tranquillò, pirchì aviva addeciso di non diri nenti della sò scoperta a Minica. Capace che quella amminchiava a voliri visitari la grutta e po' le pigliava un sintòmo videnno la crozza di morto. Gliene avrebbi parlato tra qualichi misata, doppo che si era sgravata.

Il sabato che vinni dintra al pozzo c'erano quaranta centilimetri d'acqua. Che non era cchiù trubbola, a vivirla rinfriscava non sulo la vucca e la panza, ma macari il cori. E quel sabato stisso tornaro i sordati che sinni erano ghiuti doppo il bommardamento. Uno vinni al casello con le borracce e dissi che la bumma aviva guastato le fundamenti e che abbisognava raccomenzare dal principio. Secunno lui, ci avrebbiro 'mpiegato dù simanate. Sempri che i 'nglisi sinni stavano boni.

Nino, verso le deci, pigliò il carrello e dissi a Minica che doviva annare a Vigàta.

«Che vai a fari?».

«'Na cosa».

Quella risposta a Minica abbastava e superchiava. Arrivò a Vigàta un'orata appresso e annò al potichino che stava nella chiazza darrè al municipio.

«Voglio jocari un terno sulla rota di Palermo».

«Che nummari?» spiò la sissantina signurina Rosa Indelicato.

«Me li devi smorfiari vossia. Puzzu».

«Con l'acqua o senz'acqua?».

«Con l'acqua».

«Allura fa 31».

«Grutta».

«Del prisepio?».

«Nonsi».

«Grutta semplici fa 63».

«Crozza di morto».

«76».

«Vabbeni».

«Allura scrivo 31-63-76?».

«Sissi».

«Quanto vi jocate?».

«Tri liri».

La signurina Rosa si pigliò i sordi e gli desi il pizzino.

«Quann'è la strazioni?».

«Oggi stisso alle sei di sira».

«Scusasse, in caso di vincita quanto mi veni?».

«Trimila liri».

Minchia! Macari 'u Signuruzzu!

Prima di tornarisinni, passò dal saloni del varberi.

«Dumani il concertino si fa o c'è ancora 'u lutto?».

«Si fa, si fa» arrispunnì don Amedeo.

Ma pariva siddriato:

«C'è cosa, don Amedè?».

«Mi scusasse un momento» disse il varberi al clienti al quali stava taglianno i capilli.

E pigliato suttavrazzo a Nino se lo portò fora dal saloni.

«C'è che quel grannissimo cornuto e strunzo del cavaleri Ingargiola l'altro jorno è vinuto a smurritiare. La cammisa nìvura s'era mittuta, il gran fituso!».

«E che voliva?».

«Dici che i concertini prima o po' devino finiri, che il clima della guerra fascista devi essiri serio e composto e che perciò l'uniche musiche che si devono sintiri sunno le marci militari».

«E che probbema c'è? Veni a diri che Totò e io 'nni mittemo a sonari marci militari a modo nostro».

«Ma ai clienti capace che non ci piacino!».

«Le soneremo in modo che ci piacino».

Don Amedeo lo taliò 'mparpagliato e sinni ritrasì nel saloni.

Nino invece annò al cafè Castiglione e s'accattò quattro cannoli. Se li sarebbiro mangiati dù a mezzojorno e dù alla sira. Col càvudo che faciva, non potivano durari fino al jorno appresso.

Quattro

Prima di partirisinni per Vigàta, Nino spiò a sò mogliere se si la sintiva di ristari sula fino a la notti. Tanto pariva lui prioccupato, tanto Minica era frisca e sirena.

«Ti dissi che tinni pò ghiri!».

«E se ti torna il duluri?».

«Telefono al capostazioni di Montereale».

«E se quei cornuti di sordati tornano a tuppiare?».

«Sai che fazzo? Stasira, prima d'acchianare a corcarmi, metto la sbarra. Accussì sto sicura».

«Ma io come traso?».

«Tuppii, mi chiami e io scinno a raprriti».

«Ma accussì ti devo arrisbigliari!».

«E figurati chi gran danno!».

Arrivato tanticchia in anticipo al solito puntamento con Totò davanti al cafè Castiglione, volli approfittari per annare a vidiri nella chiazza darrè al municipio quali nummari erano nisciuti nella rota di Palermo. Era cchiù che sicuro d'aviricci appizzati le tri liri che si era jocate, la fortuna non volava dalle sò parti. I sordi vanno coi sordi, e infatti a vinciri terni e quaterne era genti come alla signura Burruano che aviva dù negozi di stoffi o come a don Japichino che posidiva cinco case.

La dominica il potichino era chiuso, ma la signurina Indelicato appinniva supra alla porta 'na tabella di ligno coi cinco nummari stratti il jorno avanti.

Siccome che Nino aviva la vista bona, arriniscì a leggiri la cinchina già da vicolo Mammarella, senza bisogno d'arrivari dintra alla chiazza.

10-31-63-76-85.

Di colpo, l'occhi gli s'annigliarono come per una botta di nebbia fitta. Il cori pigliò a battirigli a cento, du marteddri accomenzaro a travagliare ai lati della testa, gli parse che il sangue dintra alle sò vini addivintava come oglio bollenti.

Si strufiniò l'occhi e ritaliò.

10-31-63-76-85.

Le gamme gli si ficiro di ricotta e la testa principiò a firriargli. Si dovitti assittare supra al graduni che c'era davanti a 'na porta. Si sintiva 'na speci di vacantizza alla vucca dello stomaco e gli viniva gana di vommitari. Le mano avivano tanticchia di trimolizzo. Passò uno, lo taliò, fici ancora dù passi, tornò narrè.

«Stati bono?».

«Sì, grazii».

Po', a picca a picca, si sintì meglio e volli taliare novamenti i nummari stratti, ma isanno l'occhi adascio adascio, squasi che si scantava d'aviri la conferma.

10-31-63-76-85.

Non c'era dubbio! Aviva 'nzirtato il terno! Trimila

liri! Sei misate del sò stipendio che era di cincocento liri! Maria, quante cose si potivano accattari con trimila liri!

Giurò che non l'avrebbi ditto a nisciuno, tranne che a Minica. Faticò a mittirisi addritta, a moviri il primo passo. Sintì che aviva la vucca accussì sicca e 'mpastatizza che non sarebbi stato manco capace d'arrispunniri al saluto di Totò. Allura trasì nel cafè dalla porta d'allato, annò nel retrè, si vippi tanticchia d'acqua dal cannolo.

«Che hai?» gli spiò Totò appena che lo vitti.

«Nenti. Pirchì?».

«Sei tutto russo russo 'n facci e ti sbrilluccicano l'occhi come se avissi la fevri».

«Non ho la fevri».

«Sicuro?».

«Sicuro».

Ma Totò non era pirsuaso.

«Senti, non ti fari scrupolo per le cinco lire che vengo a perdiri, ma se non te la senti di fari il concertino…».

«Ti dissi e t'arripeto che non ho la fevri! Senti, a proposito, ti voliva diri 'na cosa».

E gli arriferì il discorso che gli aviva fatto don Amedeo.

«Capisci? Quel cornuto del cavaleri Ingargiola capace che non ci fa sonari cchiù».

Totò si misi a ridiri.

«La cosa t'addiverte?».

«Ingargiola voli le marci militari?».

«Non te lo dissi? A me era vinuto di fari la pinsata che noi potremmo adattari le marci e...».

Totò l'interrompì.

«Già fatto. Io, per sgherzo, è da tempo che saccio sonari "Giovinezza, Giovinezza" a forma di mazurca, l'inno riali a forma di valzarino e la marcia della marina a forma di polca».

«Davero dici?».

«Davero».

«Potemo accomenzare con queste tri. E strata facenno, 'nvintarinni altre. Quanno le possiamo provari?».

«Macari dumani a matino».

«Vegno io a la tò casa alle deci».

Tanto, sarebbi dovuto passari dal potichino per aviri le trimila liri.

Mentri facivano la parti matutina del concertino, Nino sbagliò tri attacchi e Totò lo taliò ogni vota ammaravigliato. Po', nell'intravallo, quanno si annarono a mangiari un piatto di pasta e quattro sarde arrostute nella taverna di don Grigorio, Totò gli dissi che quella matina propio non lo pirsuadiva. Si potiva sapiri che gli era capitato?

Per un attimo, a Nino vinni gana di confidargli la vincita, ma si tenni. Nigò d'aviri qualichi cosa di diverso dagli altri jorni.

Po', finuto di mangiare, attaccaro a sonare. Dato che il saloni ristava chiuso dall'una alle quattro, Nino e Totò sonavano nella taverna dalle dù alle tri. E don Grigorio gli dava il mangiare a gratis, pirchì la dominica, a quell'ura, il locali si inchiva di genti.

Il concertino nel saloni, in geniri, finiva all'otto di sira, quanno don Amedeo non arriciviva cchiù clienti. Ma quella dominica, Nino avvertì il varberi che massimo massimo avrebbi potuto sonari fino alle sei.

«Pirchì?».

«Non mi sento tanto bono, don Amedè».

Intervinni Totò che aviva scutato il discorso.

«È da stamatina che lo trovo strammo».

La virità era che non se la sintiva di lassari sula a Minica quanno la notti era calata e po' aviva prescia di annare a parlarle della vincita.

Arrivò alla stazioni Cannelle alle sei e un quarto e fici per pigliare il carrello. Ma il capostazioni lo firmò.

«C'è un treno militari che sta vinenno».

«Bih, che camurria! E quanto ci mette?».

«Tra una mezzorata dovrebbi essiri qua».

Arriniscì a partirisinni che erano le setti. Pidalò con tutta la forza che aviva, ma, passata Montereale, accapì che oramà Minica sinni era ghiuta a corcari. Comunque, portava sempri un'orata d'anticipo. E allura gli vinni di fari 'na pinsata.

Quattro chilometri appresso Montereale stavano rimittenno le traversine e avivano aggiuntuto un altro binarietto provvisorio.

Lassò là il carrello e proseguì a pedi.

Era 'na nottata fitusa, fridda e con un gran vento. E diri che la matinata era stata accussì bella!

Il casello distava dù chilometri e Nino se li fici a passo sverto.

Quanno fu davanti alla porta, 'nfilò a leggio la chiavi, in modo che Minica non potiva sintiri, e la firriò. La porta non si raprì, c'era la sbarra. Allura girò darrè al casello, annò nell'orto, pigliò lo zappuni di 'n terra, l'appuiò al muro e s'assittò supra a 'na petra.

I sordati, se avivano 'ntinzioni di viniri a squietare a Minica, non videnno il carrello e fatti pirsuasi che lui non c'era, si sarebbiro mittuti a tuppiare e a fari burdellu dicenno vastasate...

E lui sarebbi comparso all'improviso, a dari zappunate teste teste ai dù figli di troia.

Invici il tempo passava e non capitava nenti, salvo che il vento era aumentato. Ogni tanto sintiva 'na speci di botto viniri da dintra al casello e non se ne faciva capace. Ma certo non erano i sordati.

Doppo un'orata, morto di friddo, addecidì che aspittari ancora sarebbi stato tutto tempo perso.

Come mai i sordati quella notti non ci avivano provato?

Vuoi vidiri che erano i dù che erano morti a scascione della bumma?

Non aviva gana di annare a recuperare il carrello con quel timpazzo, l'avrebbi fatto l'indomani matino.

Tuppiò forti e chiamò a Minica. La quali scinnì subito a raprirgli. Ma nel frattempo accapì che cos'era il botto che sintiva di tanto in tanto. Sò mogliere aviva lassato 'na persiana aperta che sbattiva contro il muro a ogni vintata cchiù violenta.

«Maria che friddo!» fici Minica riacchianannosinni lesta in càmmara di dormiri e 'nfilannosi di prescia dintra al letto.

Nino chiuì la persiana e la seguì.

S'accomenzò a spogliari con Minica che lo taliava pirchì le piaciva taliarlo mentri che a picca a picca compariva nudo. Se lo godiva con l'occhi e quanno quello si livò le mutanne si misi a ridiri.

«Stasira sei già armato? Hai mali 'ntinzioni?».

Nino si girò, cavò dalla sacchetta della giacchetta ch'era appuiata supra alla seggia il pizzino del terno e l'ammostrò a distanzia, tinennolo con dù dita e svintuliannolo, a sò mogliere.

«Lo sai che rapprisenta?».

«Un pizzino del joco del lotto».

«No, mogliere mia, rapprisenta trimila liri».

Lei non accapì subito.

«Che dicisti?».

«Che vincii un terno. Trimila liri».

Minica fici 'na vociata da fari scantare a un morto. Po', sempri facenno voci, si susì addritta supra al letto, agguantò a Nino, lo fici stinnicchiare e gli acchianò di supra.

Ma doppo non arriniscero ad addrummiscirisi.

Passaro la nuttata a fari cunta. Quanto può costari 'na culla? E un littino? E dù para di scarpuzze? E quattro vistine? E le fasci? E le cuffiette? E i...

«Indove l'ammucciamo i sordi?» spiò a un certo punto Nino.

«Proprio sutta a 'sto letto c'è un maduni mezzo livato. Tu finisci di livarlo, scavi tanticchia, ci metti i sordi e po' ci 'nquacini novamenti 'u maduni! E li tiri fora quanno 'nni servono per la criatura».

Nino si calò sutta al letto a taliare. Il posto gli parse bono. E po', si non lo dicivano a nisciuno, a cu ci potiva viniri 'n testa che dintra al casello vinivano a essiricci trimila liri?

Il potichino rapriva alle novi. E lui s'attrovò davanti alla porta chiusa che erano le novi meno deci. Vitti arrivare alla signurina Indelicato, la taliò mentri rapriva e trasì squasi 'nzemmula con lei. Non voliva farisi vidiri da altre pirsone quanno la signurina gli avrebbi dato i sordi. Senza parlari, Nino le prùi il pizzino. La signurina Rosa lo pigliò, 'nforcò l'occhiali, lo considerò a longo. Nino sudava. Appresso la signurina s'attaccò al tilefono. Parlava a voci accussì vascia che non accapì né a chi si rivolgiva né che diciva. Po' la signurina riattaccò, ripigliò il pizzino, lo riconsiderò, sospirò e glielo ristituì.

«Tenetevelo voi».

Nino sintì che il cori gli cadiva fino ai pedi.

«Non è bono?».

«È bono, è bono».

«E allura pirchì non ve lo pigliate?».

«Io non tengo i sordi qua. Tra deci minuti me li portano dalla banca. Tornate tra un quarto d'ora, mi consegnate il pizzino e io vi pago la vincita».

Annò alla putìa di vino e si vippi un bicchieri di marsala. Ne aviva di bisogno. Quanno tornò al potichino, per fortuna ancora non c'era nisciuno.

La signurina Indelicato gli contò tri volte i sordi. Lui si spartì i biglietti nelle diverse sacchette.

Maria, quant'erano!

Doppo annò in casa di Totò e accomenzaro a fari le prove delle marci militari da sonare a modo loro. S'accapero subito.

Appresso, siccome che con Minica dovivano fari festa granni, accattò quattro cannoli, 'na poco di viscotti e quattro buttiglie di gazzosa, che a sò mogliere piaciva assà.

Avvicinannosi al casello prima del sò, quello indove ci stava Raffiele Laferla, un quarantacinchino col quali non si facivano sangue epperciò, quanno si vidivano, si limitavano a bongiorno e bonasira, vitti che davanti alla porta ci stavano dù carrabbineri. In prima pinsò che si trattava di dù omini di pattuglia che macari volivano arrifriscarisi con un bicchieri d'acqua, ma quanno passò davanti al casello sintì alla mogliere di Laferla, Assunta, che faciva voci e chiangiva. Allato al passaggio a livello c'erano dù machine dell'Arma. Per un momento gli vinni il pinsero di firmarisi e spiare che stava capitanno, po' arriflittì che la facenna non l'arriguardava e tirò dritto, visto che i carrabbineri non gli avivano ditto nenti. Corriva 'na filama, supra a Raffiele Laferla. Gli avivano assignato il casello in quanto era stato squatrista e aviva pigliato a manganillate a dù manovali della stazioni di Montereale e aviva fatto viviri l'oglio di ricino al vicicapostazioni di Vigàta. Ma po', diciva la filama, era cangiato. Aviva accomenzato a sparlare dei fascisti e di Mussolini, e da quanno era scoppiata la guerra, non si tiniva cchiù. Annava dicenno che spirava in una sula cosa: che i 'nglisi gli facivano un culo tanto a Mussolini. Pare che il cangiamento era dovuto al fatto che, quanno era squatrista, un comunista gli aviva dato 'na cutiddrata di striscio pigliannolo al vrazzo mancino. 'Na minchiata, tanto che la firita era guaruta in una simanata. Ma lui aviva fatto dimanna di pinsioni d'invalidità «a seguito del sangue versato per la Causa della Rivoluzione Fascista». C'era stato un tira e molla durato anni, e alla fini la pinsioni gli era stata nigata. E da allura, diciva sempri la filama, Raffiele era addivintato antifascista.

Nino parlò della facenna a Minica doppo che s'erano mangiati i cannoli.

«Vacci».

«E pirchì?».

«Pirchì siete collechi. Capace che capitò qualichi disgrazia e Assunta havi di bisogno».

«Senti, a mia Raffiele…».

«Lo saccio, ma quanno c'è 'na disgrazia o 'na mala vintura…».

«Vabbeni, cchiù tardo ci vado».

«No, ora stisso».

Quanno Minica 'ntistava… Attrovò il casello 'nserrato. E come avivano proveduto per il passaggio a livello?

A deci metri dal passaggio c'era la casa di 'Ntonio Trupia, un viddrano che aviva tri sarme di terra. Trupia era assittato fora della porta, supra a 'na seggia di paglia e fumava la pipa. Il fumo che nisciva faciva un feto da moriri.

«Bongiorno. Sono il casellante del…».

«V'accanoscio. Bongiorno».

«Mi potiti diri che è capitato?».

«Vinniro i carrabbineri e arristaro a Raffiele e a sò mogliere».

«Pirchì?».

«Boh».

«E il picciliddro?».

Raffiele aviva un figlio di otto anni.

«Si portaro macari a lui. M'hanno ditto che lo consegnano alla soro d'Assunta».

«E al passaggio a livello chi ci abbada?».

«Dissiro d'abbadaricci a mia. Cchiù tardo veni un casellante provisorio».

«Lo sapiti come si fa?».

«Me l'hanno spiegato. Quanno si metti a sonari il campanello che c'è fora del casello, abbascio le sbarre. Quanno passa il treno e il campanello finisci di sonari, le iso. Mi signaro macari l'orari».

«Scusate, livatimi 'na curiosità. Che ci mittite dintra alla pipa?».

«Trinciato forte e merda sicca di vacca».

Ma quanno all'indomani, che era martidì, annò a Vigàta per rifari ancora le prove con Totò, tutto il pàisi parlava dell'arresto di Laferla e di sò mogliere. Pare che era accusato di 'na cosa cchiù gravi assà che la sparla del fascismo, dicivano che l'accusa era di tradimento.

Al cafè Castiglione, il cavaleri Ingargiola, in cammisa nìvura, spiegava il come e il pirchì.

«Capite, camerati? Traditore doppio è! Non si è contentato di rinnegare il fascismo che pure gli aveva dato casa, pane e lavoro, ma ha voluto rinnegare persino la Patria, ha pugnalato alle spalle i suoi fratelli che combattono al fronte! Devono essere messi davanti al plotone d'esecuzione, lui e sua moglie! E quel plotone lo vorrei comandare io a nome di tutti i camerati di Vigàta fascistissima!».

«Scusami, ma in che consistiva il tradimento?» spiò don Agatino Zummo che era sò sociro.

«Signali faciva!».

Tutti i prisenti strammaro.

«A cu?».

«Ai sommergibili 'nglisi».

«E come?».

«Addrumava un foco supra la pilaja, a ripa di mari».

«Ma chi l'addenunziò?».

«Lo vitti, dal mari, 'na vedetta della marina militari. 'Na spia vigliacca è, Raffiele Laferla, e merita la fucilazioni!».

«Puro sò mogliere faciva signali?».

«Questo non lo so, ma sicuramenti era complici».

«Io sintii diri che quel foco non sirviva a fari signali» dissi 'na voci che viniva propio dalla porta del cafè. Tutti si voltaro a taliare chi era stato a parlari. Sulla porta ci stava don Simone Tallarita. Taliava ai prisenti giranno sulo l'occhi e sorridiva come faciva sempri. Con lui, il cavaleri Ingargiola cangiò tono.

«Davvero? Non serviva a fare segnali? E allora volete spiegarmi a cosa serviva?».

«Ad arrustire le sarde supra a un canale. Lo sapiti come si fa, cavaleri? Si piglia un canale di quelli che servino a cummigliare il tetto, però meglio se è novo, e gli si spargi supra tanticchia d'oglio. Po' si forma un circolo di petri e dintra si inchi di ligna fina per fari un bel foco. Quanno il foco è àvuto s'appoja il canale supra alle petri. Il canale ci metti picca a quadiare, allura ci si mettino dintra le sarde una appresso all'altra e in un vidiri e svidiri s'arrustiscino. Raffiele e Assunta ne erano licchi. Provatele macari voi, cavaleri, sunno proprio bone. Bongiorno a tutti».

Cinque

Come fu e come non fu, il jorno appresso, mircoldì, si vinni a sapiri che Raffiele Laferla e sò mogliere Assunta erano stati libbirati. Don Simone aviva visto giusto, il foco era per le sarde. Sulla pilaja fu ritrovato il canale ancora lordo d'oglio e il circolo di petri dintra al quali c'era cinniri.

Sulo che, per il sì o per il no, a Raffiele vinni livato il casello, e fu trasferito a Xirbi come semprici manovali.

Quanno Nino nella matinata tarda tornò al casello, vitti che supra al binario morto ci stava già un altro carrello.

Trasì. La tavola era conzata per tri, ma nella càmmara di mangiari non c'era nisciuno. Niscì novamenti e annò nell'orto.

Minica cogliva la 'nsalata e un omo la puliziava dintra al cato chino d'acqua. Sò mogliere lo vitti.

«È il casellante provisorio» fici.

L'omo sorridì, s'asciucò la mano supra ai cazùna e la pruì a Nino che gliela stringì.

«Michele Barrafato mi chiamo».

Era un cinquantino chiuttosto vascio, coi baffi, l'occhi chiari chiari, capilli arruffati, stazzuto, aviva 'na forti complessioni e doviva aviri la forza d'un toro.

Continuò a parlari mentri ripigliava a lavare la 'nsalata.

«Ero vinuto a prisintarimi e siccome sugno sulo, la vostra signora gentilmenti m'ha 'nvitato a mangiari con voi».

Nino non seppi se doviva ralligrarisi o dispiacirisi per la novità. Oramà era accussì abituato ad assittarisi a tavola avenno sempri la sula Minica davanti... Ma comunque, tanticchia di svarìo a sò mogliere, che non vidiva mai anima criata, le avrebbi fatto beni.

Mentri che mangiavano, Barrafato contò che era in forza alla stazioni di Fiumefreddo, che sarebbi ristato al casello massimo massimo 'na quinnicina di jorni, almeno accussì gli avivano promisso, che era vidovo da tri anni, che aviva un figlio mascolo che macari lui era ferrovieri e 'na figlia fìmmina che si era maritata a Messina, ma che il marito era 'mbarcato supra a un cacciatorpedineri.

Parlò sempri lui e alle tri sinni tornò al sò casello.

«Mi pari 'na brava pirsona» commentò Minica.

«Pari macari a mia. Però non dovrebbi lassare il casello senza nisciuno che gli abbada».

Il jovidì, siccome che Totò non era libbiro di matina, le dù orate di prove le ficiro alle quattro di doppopranzo. Alle sei, mentri che annava alla stazioni, 'ncontrò a don Simone Tallarita che gli fici 'nzinga che voliva parlargli.

«All'ordini».

«Indove stai annanno?».

«Torno al casello».

Quello ristò tanticchia muto e po' spiò:

«Me lo dai un passaggio?».

«Certo. Però, siccome che è proibito all'estranei, vossia mi devi aspittari allato al binario a 'na cinquantina di metri doppo la stazioni».

«D'accordo» disse don Simone voltanno le spalli e avviannosi.

Nino pirdì apposta tempo chiacchiarianno col capostazioni per dargli tempo d'arrivari a pedi sul posto, po' pigliò il carrello e partì.

Don Simone, che la strata se l'era fatta a passo sverto, aviva il sciatone quanno s'assittò allato a lui.

«Indove voli essiri accompagnato?».

«Fino al casello».

«Quali?».

«Quello tò».

E che ci viniva a fari don Simone nel casello sò? Ma con quell'omo 'na palora di superchio potiva essiri perigliosa assà epperciò non s'attintò a fari altre dimanne.

Sinni stettiro 'n silenzio fino a quanno spuntò in lontananza il casello indove ora ci stava il casellante novo.

«'Sto strunzo di Laferla!» sclamò, 'mproviso, don Simone.

«Beh, certo che addrumare un foco di notti quanno è proibito per la guerra, non è cosa di pirsona 'ntelligenti».

«Non diciva per il foco» spicificò don Simone. «Ma pirchì parlava troppo contro il fascismo. Si faciva notare e la milizia lo tiniva d'occhio. Parlava e sparlava e questo era un grosso sbaglio, dato quello che aviva l'ordine di fari».

«E che doviva fari?».

«Addrumare il foco. E meno mali che mi vinni 'n testa la storia delle sarde, masannò per Laferla erano cazzi amari».

Nino non ci accapì nenti. Ma Laferla se l'arrustiva o non se l'arrustiva le sarde? E pirchì don Simone diciva che l'idea delle sarde era stata sò?

Mentri si faciva 'sti dimanne, s'addunò che 'n mezzo ai binari ci stava il casellante novo.

«Quello è il casellante provisorio. Si chiama Barrafato».

«Barrafato di Fiumefreddo?» spiò don Simone.

«Sissi. L'acconosce?».

«No».

Firmò e Barrafato s'avvicinò.

«Sono stato a trovare a vostra mogliere» disse a Nino. Il quali stava spiannosi se doviva appresintarlo a don Simone. Ma fu lo stesso Barrafato a risolviri la situazioni, pruiennogli la mano:

«Barrafato».

«Tallarita».

«Ah!» sclamò Barrafato tintanno subito di sfilari la mano che l'altro continuava a tinirgli stritta.

La situazioni, in un minuto, addivintò comica. Don Simone tiniva l'occhi puntati supra a Barrafato senza lassargli la mano, Barrafato non si cataminava e Nino non potiva ripartiri.

Po' don Simone s'addicisi a libbirarlo.

«Statevi attento alla saluti» gli dissi.

E a Nino:

«Cacciamo».

Finalmenti arrivaro al casello. La porta era 'nserrata e Nino pigliò la chiavi per raprirla.

«No» fici don Simone. «Non voglio portari distrubbo alla vostra signora».

Come faciva a sapiri ch'era maritato? Ah, ecco, pirchì Barrafato aviva ditto ch'era vinuto a trovari a Minica.

Don Simone era fermo, dando le spalli al casello, e taliava la pilaja e il mari.

«Te lo fai tu il bagno ccà?».

«Di stati, sì».

«Quant'è funnuta l'acqua?».

«A deci passi dalla pilaja non si tocca cchiù».

«Di 'nverno 'u mari è forti?».

«Sissi, ma non tanto. Ccà semo arriparati a mano manca da capo Russello e a mano dritta da capo Bianco».

«A capo Russello ci sta 'na torri d'avvistamento. Lo sai se c'è macari a capo Bianco?».

«Nonsi, a capo Bianco non c'è».

«A che distanzia s'attrova la casa cchiù vicina?» continuò a spiare senza voltarsi.

«A un tricento metri».

«È quella doppo la provinciali per Sicudiana?».

«Sissi».

«Apparteni ad Agustino Scozzari?».

«Sissi».

«Vabbeni, ti ringrazio» dissi voltannosi e taliannolo.

«Ma come fa ora vossia a tornarisinni a Vigàta? Voli che la riaccompagno io col carrello?».

«No. Non t'apprioccupari».

«Ma come fa?».

«Vaio a trovari al mè amico Agustino Scozzari e mi fazzo riaccompagnari col sò scappacavallo. Ti saluto, Nino. Sei un picciotto a posto. Passo di darrè, dall'orto tò».

Ma quante cose sapiva di lui don Simone! E che senso aviva avuto quella visita? Che vinivano a significari quelle dimanne supra il mari? Quant'era funnuto, se c'erano correnti... E le torri d'avvistamento... Boh, se la vidiva e se la futtiva lui, don Simone.

Minica gli dissi subito che nel doppopranzo era vinuto a farle visita il casellante Barrafato. Aviva portato un pacchetto di cose duci accattate a Montereale. Lei gli aviva offerto un surrogato di cafè.

«Quanto c'è ristato qua?».

«Un tri quarti d'ura».

Ma possibili che sinni annava a spasso senza lassari a qualichiduno al casello? Minchia, ci stava macari il passaggio a livello! Minica notò che si era 'nfuscato 'n facci.

«Ti dispiaci che Barrafato mi veni a trovari?».

«Non è che mi piaci o mi dispiaci, il fatto è che non può lassare il passaggio a livello 'ncustodito!».

«Ma lui lo sapi l'orario dei treni!».

«E i treni militari che vanno e venno quanno gli pari?».

Quella gran camurria di Barrafato tornò macari il jorno appresso, portanno a Minica un sacchetto di cioccolattini Perugina. Quanno sò mogliere gli dissi della visita, Nino stavolta si squietò.

«Ma si pò sapiri pirchì ti veni a trovari e sempri quanno io non ci sugno? Che hai, il meli?».

«Dice che gli arricordo a sò mogliere, mischino!».

«Glielo dicisti che aspetti?».

«Sì. E lui mi dissi che le fìmmine gravite gli piacino assà, pirchì la maternità è 'na cosa santa. A momenti, parlannomi di quanno sò mogliere aspittava, si mittiva a chiangiri».

Il sabato matina Nino e Minica, appena i treni passaro, sinni ghiero a Sicudiana, che c'era la fera del santo. A malgrado della guerra, la genti era tanta e ci stava un virivirì di bancarelli indove vinnivano ogni cosa. Minica s'accattò un vistito e un paro di scarpi, Nino 'na cammisa. Macari i negozi erano aperti. E cinni era uno che vinniva sulo cose per picciliddri. Vittiro 'na culla ch'era proprio graziusa e po' un litticeddro per quanno la criatura sarebbi addivintata cchiù granni.

«Quanno sarà» fici Minica «accattamo sulo il litticeddro. Della culla non ce n'è di bisogno».

«Li accatteremo tutti e dù» disse Nino. «In primisi pirchì i sordi l'avemo e in secundisi pirchì figli 'nni voglio chiossà di uno».

Minica arrussicò.

Alla tornata, 'n terra, davanti alla porta, c'era un mazzetto di sciuri.

Si vidi che il casellante provisorio era vinuto ma non aviva attrovato a nisciuno 'n casa.

La dominica matina, annanno a Vigàta, Nino vinni chiamato da Barrafato che sinni stava assittato davanti al casello. Si firmò.

«Annate a sonare?».

Doviva averglielo ditto Minica.

«Sì».

«Io purtroppo oggi non posso annare a trovarla, veni un amico che stanotti dorme qua con mia».

Con Totò addecisero che nel concertino che annavano a fari avrebbiro sonato, tanto per vidiri se le pirsone le aggradivano o no, 'na poco delle marci e delle canzuni fasciste che si erano priparati durante la simana.

Scartarono però l'inno riali, pirchì per quello c'era l'obbligo di ascutarlo addritta mentri viniva sonato e non era cosa fari susiri i clienti con la facci mezza 'nsaponata. 'N mezzo al solito repertorio, ci avrebbiro 'nfilato «Le stellette che noi portiamo», ch'era 'na marcia della fantiria sonata a valzarino, l'inno della marina a polca, l'inno dei balilla, quello che principiava con «L'occhio del Duce brilla», a contradanza e «Giovinezza, giovinezza» a mazurca.

Le dù parti del concertino erano quattro ori la matina e quattro il doppopranzo, la secunna parte era la reblica di quello che era stato sonato nella matinata.

La trasformazioni delle marci e delle canzuni fasciste piacì assà, i clienti battero le mano e arridero.

Quanno il saloni riaprì alle quattro, la genti faciva la fila per sintiri le novità che Nino e Totò sonavano, si vidi che si era sparsa la voci. I primi tri clienti s'assittaro, don Amedeo e i dù aiutanti accomenzaro a fari varbe e capilli e il concertino principiò con «Fenesta che lucive».

Avivano finuto di sonari il secunnu pezzo in pogramma, che era «Vitti 'na crozza», quanno nel saloni trasì il cavaleri Ingargiola vistuto 'n divisa fascista. S'era portato appresso a dù carrabbineri che però sinni ristaro fora della porta. La mità di quelli che stavano facenno la fila per il sì o per il no se la squagliarono di prescia.

La trasuta del cavaleri Ingargiola, che pariva un carcarazzo tutto vistuto di nìvuro com'era, provocò 'na speci di paralisi ginirali. Don Amedeo sinni ristò con la forfici a mezz'aria, un aiutanti col pettini 'n mano e l'altro, che stava pulizianno la giacchetta di uno che si era fatto tagliari i capilli, ristò con la spazzola impicciata alla spalla mancina del clienti.

«Continuate, continuate» fici Ingargiola mittennosi addritta allato alla porta dello sgabuzzino.

Totò e Nino si taliaro. Attoccava sonare l'inno dei balilla a contradanza.

Ma era il caso con il carcarazzo davanti? Po' Nino considerò che migliori occasioni per vidiri come se la sarebbi pinsata Ingargiola non potiva essiricci e fici 'nzinga a Totò d'attaccari.

Alla fini, nisciuno battì le mano, come inveci era capitato nella matinata, ma tutti si voltaro a taliare il cavaleri. Era 'nfusco 'n facci, ma non dissi nenti.

I clienti continuaro a trasiri, Totò e Nino continuaro a sonari. Ingargiola sinni stetti sempri addritta, i dù carrabbineri passiavano avanti e narrè. Ma oramà il concertino era addivintato un mortorio, nisciuno diciva 'na parola, nisciuno s'azzardava a battiri le mano. Come Dio vosi, alle otto meno cinco Totò e Nino attaccaro l'ultimo pezzo, che era «Giovinezza, giovinezza» a forma di mazurca. Appena finero, il cavaleri fici 'na vociata potenti:

«Fermi tutti!».

E tutti si firmaro.

«Carabinieri!» chiamò Ingargiola.

E quanno quelli trasero:

«Arrestate a questi due!» fici indicanno a Totò e a Nino.

'Ntronati, senza manco accapiri a funno quello che gli stava capitanno, i dù mischini posaro gli strumenti supra a 'na pultruna e vinniro subito ammanittati.

«Posso sapiri pirchì?» spiò Nino a malgrado che era scantato a morti.

«Ah, non lo sai, sporco sovversivo? Vilipendio e offesa all'inno della rivoluzione fascista!».

«Ma non c'era 'ntinzioni d'offisa!» intervinni don Amedeo.

«Zitto! Altrimenti faccio arrestare anche voi per complicità. Anzi: il salone resterà chiuso per una settimana. È un ordine, chiaro?».

Nella caserma dei carrabbineri vinniro portati alla prisenza del marisciallo Pintacuda il quali non ebbi manco il tempo di rapriri vucca che arrivò sparato il cava-

leri Ingargiola. Trasenno, fici il saluto fascista e il marisciallo, ristanno assittato, si portò dù dita alla fron-
ti facenno 'na speci di saluto militari.

«Perché li avete arrestati?» spiò il marisciallo ai sò
òmini.

«Ve lo dico io» fici Ingargiola.

«Preferisco che me lo dicano loro».

«Ce l'ha ordinato lui» disse uno dei dù indicanno il
cavaleri.

«Turbavano l'ordine pubblico?» spiò ancora Pintacuda senza taliare al cavaleri.

«No».

«E allora che facevano?».

«Suonavano».

Finalmenti Pintacuda girò l'occhi verso il cavaleri.

«Scusate, voi oggi pomeriggio siete venuto a dirmi
che temevate che nel salone di un barbiere potevano
scoppiare disordini e io vi ho dato due dei miei uomini. Ma se i disordini non ci sono stati, non vedo perché…».

«Ve lo spiego io» fici Ingargiola. «Suonavano, è vero, ma suonavano a spregio l'inno fascista!».

«Facevano pernacchie mentre suonavano? Ridevano?
Dicevano insulti?».

«No, ma hanno trasformato "Giovinezza, giovinezza" in una mazurca».

«E i presenti hanno protestato?».

«No, ma…».

«Sentite, cavaliere, in tutta sincerità, non vedo la ra-
gione per metterli dentro».

«E voi invece ce li mettete! Ve l'ordino io!».

Il mariscïallo, giarno 'n facci, si susì.

«Io piglio ordini solo dai miei superiori» dissi calmo.

E po', rivolto ai sò òmini:

«Portate questi due in un'altra stanza. Io devo parlare col cavaliere».

La parlata dei dù fu longa, durò squasi un'orata. Doppo, il mariscïallo Pintacuda trasì nella càmmara, parlò a voci vascia con uno dei carrabbineri e sinni niscì.

«Andiamo».

Nino e Totò, sempri ammanittati e sempri 'n mezzo ai dù carrabbineri, vinniro accompagnati fora della caserma. Accomenzaro a caminare che oramà strata strata non c'era cchiù nisciuno e arrivaro davanti al commissariato di Pubblica Sicurezza.

Niscero dù guardie. I carrabbineri livarono le manette a Totò e a Nino, le guardie gli misiro le loro. I carrabbineri salutaro, voltaro le spalle e sinni ghiro.

Totò e Nino foro accompagnati davanti al commissario Belladonna che, era cosa cognita, in quanto a fascismo era pejo d'Ingargiola. Il quali sinni stava addritta allato alla seggia del commissario.

«Credevate di farla franca, eh? Sovversivi di merda!» fu il saluto di Belladonna.

E continuò:

«Stanotte la passerete qua, in camera di sicurezza».

«E domani mattina sarete tradotti nel carcere di San Vito, a Montelusa» disse Ingargiola.

«Cinque anni non ve li leva nessuno!».

«E appresso vi confinano!».

«Fitusi bastardi!».

«Comunisti schifosi!».

Totò, di colpo, si misi a chiangiri. Nino, le gamme di ricotta, non cadì 'n terra sulo pirchì 'na guardia lo tinni.

Sei

La càmmara di sicurizza aviva dù tavole di ligno 'mpiccicate al muro e tinute dalle catenelle che facivano da letto. C'erano macari un bugliolo per i bisogni e un cato d'acqua per lavarisi la facci.

Sbarri di ferro alla porta, sbarri di ferro persino alla finestrella che era accussì nica che a momenti non ci potiva passari manco un'allodola.

Si stinnicchiaro ognuno supra a 'na tavola senza parlari.

Totò continuò a chiangiri ancora per tanticchia, po' a lento a lento sciddricò nel sonno. Torno torno c'era un gran silenzio, le guardie sinni erano ghiute a corcare.

Nino avrebbi voluto sfogarisi nel chianto come aviva fatto l'amico, ma, pur avenno il cori stritto stritto, non gli viniva di chiangiri.

Non arrinisciva a compatirisi per la situazioni nella quali s'attrovava di pirsona, pirchì era cchiù forti la prioccupazioni per Minica sula, nel casello, che non lo vidiva tornari, s'imaginava qualichi disgrazia via via che le ure passavano e non sapiva a quali santo arrivolgirisi in cerca d'aiuto. Si sarebbi dispirata, mischineddra!

Avrebbi sbattuto la testa mura mura senza nisciuno vicino a dirle 'na palora di conforto!

Non arriniscì a chiuiri occhio per tutta la nottata, sempri pinsanno a sò mogliere e al picciliddro che aviva nella panza.

La matina alle sei la porta vinni aperta e comparsero dù guardie. Una l'accanosciva! Era un cliente del saloni, gli era sempri parso 'na brava pirsona a malgrado ch'era uno sbirro. Mentri che quello gli rimittiva le manette, gli spiò a voci vascia:

«Per carità, potiti diri a don Amedeo che avverti a mè mogliere?».

La guardia taliò il compagno, capì che non aviva sintuto nenti e allura arrispunnì sulo:

«Sì».

Finalmenti si sintì tanticchia cchiù tranquillo.

Acchianaro nel cellulare e vinniro portati a San Vito. Li misiro in dù celle diverse. Di conseguenzia, non avrebbi avuto manco il sollevo della cumpagnia di Totò.

Si stinnicchiò supra al pagliarizzo che era cchiù commodo della tavola e, senza manco addunarisinni, s'addrummiscì.

S'arrisbigliò per la rumorata della porta che viniva rapruta. Trasì 'na guardia con una scotella e un vuccali d'acqua. La scotella era china a mità di pasta al suco scotta. E il suco di pummadoro faciva un feto d'àcito che assintomava a sintirlo, figurarsi a mangiarisillo. E po', macari se non fitiva, se era un piatto priparato per sò maistà, non era in grado di mittirisi nenti nello stommaco.

«Che ore sunno?».

«Mi devi chiamare superiore. Ripeti la domanda».

«Che ore sunno, superiori?».

«Quasi l'una».

Aviva durmuto almeno quattro orate.

La guardia niscì e lui si vippi tutta l'acqua del vuccali. Aviva tanta siti e nenti fami.

Senza sapiri come, s'addrummiscì novamenti e novamenti vinni arrisbigliato dalla porta che si rapriva. Era la stissa guardia che gli aviva portato il mangiari.

«Andiamo».

«Indove, superiori?».

La guardia non arrispunnì.

Si ficiro un corridoio longo, scinnero a piano terra, po' la guardia raprì 'na porta.

«Entra, siediti e aspetta».

Era 'na cella che non aviva pagliarizzo, ma un tavolino e dù seggie. C'era macari un ralogio a muro che signava le tri. S'assittò e aspittò.

Appresso a 'na decina di minuti la porta si raprì, trasì 'na guardia che portava 'n'altra seggia, la posò, niscì, chiuì. Doppo un'altra decina di minuti la porta si raprì novamenti, ma stavota trasero il marisciallo Pintacuda e un carrabbineri con una vurza.

Arrè il mariscial lo? Riprincipiava tutto da capo? Doppo il mariscial lo sarebbi vinuto il commissario Belladonna? Se lo passavano come 'na palla? Lo volivano fari nesciri pazzo?

«Come ti senti?» gli spiò Pintacuda.

«E come volete che mi sento, mariscià?».

«Fatti coraggio. V'addifenni l'avvocato Cinna. Ho saputo che già stamatina andava a parlare col giudice istruttore».

Strammò. L'avvocato Cinna? Ma quello era il nummaro uno di tutta la provincia! Manco le tremila lire che aviva sutta al maduni sarebbiro abbastate a pagarlo! Ma 'nzumma, l'importanti era che lo faciva nesciri dal càrzaro. E macari a Totò, naturalmenti.

Intanto il carrabbineri aviva tirato fora dalla vurza 'na para di fogli, pinna, 'nchiostro e calamaro e aspittava a scriviri.

«Digli nome, cognome, paternità, maternità, data e luogo di nascita, cittadinanza, residenza e mestiere» fici Pintacuda.

Nino ci dissi tutto.

«Non sono qua per la storia per la quale sei finito in carcere» dissi Pintacuda mittenno le mano avanti.

Ah, no? E che altro potiva essiricci?

«Mi dicisse».

«Abbiamo parlato con il casellante del casello vicino al tuo, Michele Barrafato».

«E pirchì?».

«C'è stato un grosso furto in casa di Agustino Scozzari. Quella che è nei paraggi del tuo casello. Hanno forzato la porta di notte mentre che non c'era nessuno».

«Vabbene, e che vi ha ditto Barrafato?».

«Che tua moglie gli avrebbe fatto 'na cunfidenza».

Si sintì tanticchia urtato. Pirchì Minica si era confidata con quell'omo?

«Embè?».

«Io voglio sapiri se quello che dice Barrafato corrisponde a verità».

«Spiasse».

«È vero che almeno due volte nei giorni passati, mentre tua moglie si trovava sola di notte, una o due persone hanno tentato di forzare la porta del casello?».

«Sissi, vero è».

«Potresti dirmi qualcosa di più preciso?».

«La prima vota fu uno sulo che si misi a tuppiare, la secunna vota furono dù e tintaro d'abbattiri la porta».

«È vero che parlavano in italiano?».

«Accussì dissi Minica».

«E che voi vi siete convinti che si trattava di due soldati di quelli che lavorano ai bunker?».

«Sissi».

«Sono venuti due domeniche di seguito?».

«Sissi».

«E poi basta?».

«Sissi».

«Hai altro da aggiungere?».

«Nonsi».

Sinni arricordò all'improviso.

«Uno si chiama Ivan».

Pintacuda satò supra alla seggia.

«Sicuro?».

«Mè mogliere accussì m'arriferì».

Il carrabbineri finì di scriviri.

«Firma» gli dissi Pintacuda susennosi.

Nino firmò e non arriniscì cchiù a tinirisi.

«Mariscià, mi scusasse, ma vossia lo sapi se mè mogliere è stata avvirtuta?».

«Sì. Stai tranquillo. Ci ha pensato don Amedeo. Anzi, ti manda a salutare».

Lo riportaro in cella.

E finalmenti, ora che aviva la cirtizza che Minica non stava cchiù in pinsero per lui, lassò che le lagrime gli vagnassiro la facci.

Doppo manco un'orata, arrivò la solita guardia.

«Andiamo».

Rificiro la strata di prima e, a pianoterra, la guardia raprì la stissa porta.

Ma stavota al tavolino ci stavano assittati dù òmini in borgisi: un cinquantino coi baffi, l'occhiali e l'ariata sostinuta e un sissantino con diverse carti davanti e la pinna 'n mano.

In un angolo, addritta, ci stava Totò. Maria, quanto s'era 'nsiccuto in quarantott'ori o quelle che erano! La guardia ristò con loro.

Il cinquantino dissi al sissantino:

«Gli strumenti».

Il sissantino si calò di lato e pigliò di 'n terra le custoddie della chitarra e del mandolino.

Totò e Nino sbalordero.

«Chi suona la chitarra?» spiò il cinquantino.

«Io» arrispunnì Totò.

«Pigliatevela e controllatene lo stato. E pure voi» continuò arrivolgennosi a Nino «fate lo stesso».

Nino e Totò raprero le custoddie. Gli strumenti erano a posto.

«Ascoltatemi bene» disse il cinquantino. «Ci risulta che voi avete suonato nel salone del barbiere dove abitualmente vi esibite la domenica, due pezzi che sono stati ritenuti come atti di volontario vilipendio del fascismo. I due pezzi sarebbero l'inno dei balilla suonato a tempo di contradanza e l'inno fascista interpretato a mò di mazurca. È così?».

«Sissi» fici Nino.

Totò raprì e chiuì la vucca senza fari sono.

«Benissimo. Eseguiteli».

I dù non accapero.

«Che dovemo fari, scusasse, cillenza?» spiò Nino.

«Suonarli».

«Ccà dintra?!».

«Qua dentro».

Totò e Nino si taliaro. Voliri o non voliri, dovivano fari accussì come ordinava il cinquantino che doviva essiri il judice struttori.

Stringero i denti e attaccaro.

Ma Nino principiò l'inno dei balilla mentri Totò accomenzò «Giovinezza».

Si firmaro subito.

«Ci deve ascusare, cillenza, ma noi semu strammati e...».

«Capisco» fici il judice. «Fate con calma».

Finalmenti riattacaro e proseguero fino alla fini senza 'ntoppi.

«Ridate gli strumenti al cancelliere».

Quanno quello riposò 'n terra le custoddie e ripigliò la pinna 'n mano, il judice gli dissi:

«Scrivete».

E principiò a dettari.

«Avendo attentamente ascoltato i due inni eseguiti, su nostra specifica richiesta, dagli stessi imputati, non abbiamo riscontrato nelle modifiche apportate nei tempi musicali alcunché di offensivo o che possa essere ritenuto atto di volontario vilipendio. Pertanto i due imputati vengono assolti in istruttoria e se ne ordina l'immediata scarcerazione».

E po', rivolto alla guardia:

«Avete inteso?».

«Signorsì».

«Avvertite il signor direttore che proceda di conseguenza».

«Andiamo» fici la guardia a Totò e a Nino.

Niscero e vinniro riaccompagnati ognuno nella propia cella.

Passò 'na mezzorata e Nino vitti appresentarisi 'na guardia diversa.

«Andiamo».

Scinnero a pianoterra, ma stavota la guardia lo portò in un ufficio indove gli consignaro il mandolino, la carta di intintirintà, le chiavi e 'na lira e mezza che aviva 'n sacchetta e che gli avivano livato quanno era trasuto.

La porta del càrzaro si richiuì alle sò spalli.

E la prima pirsona che vitti fu don Amedeo, il varberi, allato a 'na carrozza.

«Acchiana».

Acchianò seguito da don Amedeo. La carrozza partì.

«Non aspittamo a Totò?».

«No».

«E pirchì?».

«Pirchì non annamo a Vigàta subito».

«E indove annamo?».

«Allo spitale».

«A fari che?».

«A trovari a 'na pirsona» disse don Amedeo senza taliarlo.

Capì immediatamenti chi era la pirsona, aggilanno.

Raprì la vucca per parlari, ma non arriniscì ad articolare. Agliuttì una, dù volte. Don Amedeo gli posò 'na mano supra al ginocchio.

«Coraggio, Nino, l'importanti è che tò mogliere non curri 'mmidiato piriculo di vita».

Maria, che friddo che faciva! Maria, che friddo! E dintra all'oricchi aviva un cintinaro di muscuni che facivano 'na gran rumorata e davanti all'occhi gli scinnivano a migliara filinie che gli annigliavano la vista. Doppo, facenno uno sforzo che lo lassò assammarato di sudori, arriniscì a spiare:

«Che... fu?».

«Quanno la guardia mi dissi d'avvertiri a tò mogliere, io fici a tempo a pigliari la correra per Sicudiana, scinnii davanti alla casa di Agustino Scozzari, mi fici a pedi i tricento metri e, arrivato al casello, attrovai la porta aperta. Trasii e...».

Si firmò un attimo, tirò un sciatone longo e ripigliò.

«... e vitti a tò mogliere 'n terra ai pedi della scala, doviva essiri caduta, era tutta 'nsanguliata, la testa rutta. Pariva come morta, ma era viva. In quel momento sintii che stava arrivanno un treno diretto a Vigàta. Allura pigliai in potiri a tò mogliere accussì com'era, mi misi 'n mezzo ai binari e il machinista, vidennomi, si firmò. A Montereale sono scinnuto, ho fatto 'na machina a noleggio e l'ho portata di cursa ccà allo spitale».

Un pinsero accomenzò a firriari nella testa di Nino, un pinsero accussì laido e maligno e duloroso che si scantava a pinsarlo. Don Amedeo gli stava contanno la mezza missa. Gli fici 'na dimanna:

«Dissi nenti?».

«Ci fu un mumento che s'arripigliò. Ma straparlava, mischina. Si lamentiava, diciva "mè figliu, mè figliu", po' dissi: "prima erano vinuti dù sordati a tuppiare"... E appresso non parlò cchiù».

No, Minica non era caduta dalla scala.

«Grazii per tutto, don Amedè» fici.

«Doviri d'amicizia» arrispunnì il varberi.

Gliela ficiro vidiri per manco cinco minuti, aviva sulo la tistuzza fora dal linzolo, tutta 'nfasciata, l'occhiuzzi 'nserrati, le labbruzza gonfie e spaccate. Ma quello che dintra di lui passò come 'na falci spietata che gli tagliava carne, vini, cori, fu che il corpo di Minica sutta al linzolo si era come arriduciuto, era addivintato nico come a quello di 'na picciliddra.

La stissa 'mpressioni di quanno, a quattr'anni, aviva viduto 'n terra a un passareddro morto.

«Il professore vi deve parlare» gli dissi la 'nfirmera pigliannolo per un vrazzo e strascinannolo fora.

E il professori col cammisi bianco, assittato darrè alla scrivania, gli dissi quello che lui sapiva già e che ascutò 'n silenzio.

«Purtroppo vostra moglie è stata vittima di un bruto che dopo avere ripetutámente abusato di lei ha tentato d'ucciderla. Prima l'ha presa a calci e a pugni e poi ha afferrato una spranga di ferro e l'ha colpita alla testa. Ha creduto d'averla ammazzata e se ne è scappato. Ha qualche costola rotta, un braccio spezzato e una profonda ferita alla testa. Naturalmente, ha perso il bambino. La dobbiamo trattenere in osservazione, per vedere come evolve la situazione. Ma state tranquillo, non c'è pericolo di vita».

«Grazii, professori».

Parlari tinenno i denti 'nserrati, masannò se si rapre la vucca ne nesci 'na vociata accussì àvuta e forti da rumpiri i vitra le finestre, 'na vociata come un lampo che abbruscia òmini e cose.

Naturalmente, ha perso il bambino.

In carrozza, mentri s'addiriggivano verso Vigàta, fici 'na sula dimanna a don Amedeo.

«Vossia l'aviva accapito subito che a Minica avivano fatto quello che le hanno fatto?».

«E como faciva a non capirlo? La cammisa di notti era tutta strazzata... La dovitti cummigliare con la tuvaglia che c'era supra al tavolo di mangiari... Perciò ho fatto avvertiri al marisciallo Pintacuda».

Che era stato bravo assà, tanto che lui ci aviva cridu-
to alla farfantaria del furto in casa di Agustino Scozzari.
Naturalmente, ha perso il bambino.

Appena trasero a Vigàta, Nino dissi a don Amedeo
che voliva ghiri alla stazioni per pigliari il carrello.

«Tu stasira non ci torni al casello, sei stato sostitui-
to per tri jorni».

«E indove minni vaio a stari 'nni 'sti tri jorni?».

«In casa di Totò. A quest'ura ti sta già aspittanno.
Io scinno al saloni, ma la carrozza t'accompagna».

Non ebbi manco il tempo di trasire che Totò gli s'apprecipitò 'ncontro e l'abbrazzò forti forti.

«In libbirtà semo! Non mi pari vero!».

«Totò, tu lo sai chi l'acchiamò all'avvocato Cinna?».

«Boh».

Ma lui 'na mezza idea ci l'aviva.

Macari la signura Ernesta, la matre di Totò, l'abbrazzò
e gli disse:

«La càmmara ti priparai».

Era la cammareddra indove avivano fatto le provi dei
mallitti inni fascisti.

Ora la signura Ernesta ci aviva mittuto 'na branna.
Supra a 'na seggia c'era 'na truscia.

«L'hanno portata dalla stazioni».

La raprì. C'erano un paro di cazùna, 'na giacchetta,
tri mutanne, dù cammise, tri para di quasette.

Era tutta robba sò, pigliata dal casello.

«Ora ti fai 'na bella puliziata con commodo, ti can-
gi tutto e po' tinni veni a mangiare».

Mentri si stava facenno la varba col rasoio a mano libbira di Totò, le dita gli trimarono e gli niscì tanticchia di sangue da sutta al labbro.

Naturalmente, ha perso il bambino.

Sette

A malgrado tutto, arriniscì ad agliuttirisi tanticchia di ministrina e un mirluzzo squadato con oglio e limoni. Doppo, gli vinni gana d'aria.

«Ti veni a fari quattro passi al molo?».

«Non me la sento» arrispunnì Totò. «Mi vaio a corcare subito. Ti dugno la chiavi, accussì torni quanno vuoi tu».

Per annare al molo, doviva per forza passari davanti alla caserma dei carrabbineri. Siccome che la vitti aperta, trasì e spiò del maresciallo.

Pintacuda l'arricivì immediatamenti.

«Scusami se mi sono inventata la scusa del furto, ma... E tua moglie?».

«Il dottori dici che non è 'n piricolo. *Naturalmente, ha perso il bambino*».

Aviva parlato in taliàno. Pintacuda non ci fici caso.

«Mi dispiace. Ma per fortuna siete giovani e...».

Quel discurso a Nino non gli piacì. I figli non sunno come l'ova, che se sinni rumpi uno, la gaddrina ne fa un altro. E il maresciallo l'accapì e cangiò argomento.

«Abbiamo identificato quel soldato che si chiama Ivan, Ivan Ramboldi. Ha ammesso tutto».

«Iddru fu?!» sclamò Nino sintenno che il sangue gli accomenzava a furmicoliare.

«No, calma, ha ammesso solo di avere accompagnato una notte al casello a un altro militare suo amico. Carlo Bresso. Ha ammesso anche di avere pigliato a spallate la porta. Ha sostenuto però che dopo quella volta non ci è più tornato».

«E con Bresso ci aviti parlato?».

«No».

«Pirchì?».

«Perché è morto quando sono stati bombardati».

L'aviva pinsata, 'na cosa simili, quella notti che era ristato ad aspittari nell'orto.

«Ma non può essiri che questo Ivan...».

«Non è stato lui, levatelo dalla testa, l'altra notte Ramboldi ha lavorato fino alle sei del matino, l'ha confermato il tenente».

Il molo era diserto e accussì allo scuro che non si vidiva nenti. Ogni tanto, qualichi pila lettrica illuminava il passo dei marinari supra alle torpedinere ancorate dintra al porto e s'astutava subito. Caminò fino alla punta, indove c'erano dù panchine di petra. S'assittò, sintennosi raprire i purmuna e il cori all'ariata di mari.

Po' avvirtì 'na rumorata di passi che s'avvicinavano e si firmavano, 'na voci spiò:

«Mi posso accomidare?».

«Certo».

L'ùmmira gli si assittò a lato.

«Sono passato dalla casa di Totò e m'hanno detto che eri vinuto ccà. Ti voliva diri che mi dispiaci assà assà per tò mogliere che...».

Naturalmente, ha perso il bambino.

«Per fortuna non corri piricolo».

«Grazii, don Simone. E grazii macari per l'avvocato Cinna».

«Chi te lo dissi?».

«Nisciuno».

«Tu sei un picciotto 'ntelliggenti e sperto, l'ho accapito subito».

Nino non seppi che diri. Don Simone s'addrumò un sicarro, si fici 'na tirata longa e po' spiò:

«E dato che sei accussì 'ntelliggenti, l'hai accapita la facenna?».

«Quali facenna?».

«Quella di tò mogliere, Nino».

«Vossia l'accapì?».

«Io sì».

Con quella risposta, don Simone era come se aviva tirato 'na riga 'n terra col gessetto bianco. Ora stava a Nino passari o non passari oltre la riga.

Bastava 'na sula dimanna ed era fatta.

E Nino accapì che, se era omo, quella dimanna la doviva assolutamenti fari.

«Me la spiega?».

«Te l'hanno ditto che tò mogliere aviva 'u sutta dei pedi squasi senza cchiù pelle, che era addivintato tutta 'na ferita?».

«Nonsi. E che veni a diri?».

«Veni a diri che tò mogliere s'arrisbiglia e s'adduna che è notti tarda e che tu ancora non sei tornato. Aspetta ancora un'orata, un'orata e mezza, po' la prioccupazioni le crisci tanto che, scàvusa come s'attrova e in cammisa da notti, nesci e si metti a curriri binario binario verso l'unica pirsona dei paraggi che considera amica».

«Barrafato» fici Nino squasi senza voci.

«L'hai ditto. A Barrafato non ci pari vero. Vidi, io a 'sta fitinzia d'omo l'accanosciva per un fatto che capitò anni fa. S'approfittò di 'na picciotteddra maritata che aspittava. Gli piacino le fìmmine prene. Però, quella vota, non la vastuniò. Se la futtì e basta. Allura il marito della picciotteddra s'arrivolgì a un amico mè che a Barrafato gli fici fari tri misi di spitale. Fu questo amico a contarmi la passata. Ma ora ccà la cosa è stata diversa assà».

«Ma pirchì non sinni approfittò subito appena che Minica gli comparì davanti?».

«Pirchì l'amico è frubbo. La fici acchianare nel sò carrello, la riportò al vostro casello, la convincì ad annare in càmmara di letto dicennole che sarebbi subito curruto a circarti e sinni approfittò. Però subito appresso tò mogliere circò di scappari, arrivò a scinniri sutta, ma Barrafato la raggiungì, la pigliò a pugni e a càvuci e po' le fracassò la testa con la sbarra di ferro della porta».

«Perciò la voliva di sicuro ammazzari» concludì Nino.

«Non potiva fari diversamenti. Tò mogliere l'avrebbi addenunziato. Ma l'avrebbi ammazzata in ogni modo, macari se non circava di scappare. Abbisognava che viniva attrovata morta dintra a la sò casa, accussì tu avresti parlato sicuramenti dei dù sordati e la colpa sarebbi stata loro. Ora che vuoi fari?».

«Lo vado ad addenunziare ora stisso».

«Aspetta. Raggiuna. Barrafato è colpevoli di violenza carnali, tentato omicidio e omicidio».

«Omicidio?!».

«Di tò figlio, Nino».

Naturalmente, ha perso il bambino.

«E vabbenni, accussì lo ghiettano 'n galera e non ne nesci cchiù».

«No, Nino, le cose andranno diversamenti».

«Vali a diri?».

«Che sinni nesci doppo qualichi anno».

«E come fa?».

«Dicinno la virità».

«E cioè?».

«Che fu tò mogliere ad annarlo a squietare, appresentannosi a notti funna nella sò casa in cammisa da notti».

«Ma Minica ci annò pirchì voliva...».

«Certo. Questo lo sapemo tu, io e Minica. Ma non ci sunno testimoni. E lui la conterà diverso. Dirà che tò mogliere annò da lui per farisi futtiri approfittanno che tu non c'eri, che lui s'arrefutò sdignato, che la riaccompagnò a la sò casa, che però quella continuò a provocarlo fino a quanno lui, che non era fatto di ligno...».

«E come spiega che circò d'ammazzarla?».

«Si può 'nvintari quello che voli. Per esempio, che tò mogliere gli spiò di farlo ancora, che lui dissi di no,

che lei allura lo pigliò a botte dicennogli che era 'mpo-
tenti, un mezzo omo, che lui allura persi la raggiuni
e...».

«Basta, per favuri».

«Sì, basta. Ma arricordati che le attenuanti gliele danno sicuro e che massimo massimo si fa cinco anni e che
tò mogliere resta signata come buttana. No, in questo
spicifico la liggi non è cosa».

Si susì.

«A Barrafato ci pensi tu o ci faccio providiri io?».

«Ci posso dari la risposta dumani?».

«Ci vuoi pinsari stanotti? Come vuoi tu».

Tornò dal molo che il ralogio del municipio sonava
le dù di notti. Sinni era ristato assittato supra alla panchina a ripassarisi la scena che gli aviva contato don Simone e gli pariva d'essiri al ginematò. Vidiva a Minica che curriva dispirata e scantata nello scuro della notti 'nsanguliannosi i pedi supra alle petri della massicciata... e po' la vidiva scinniri la scala facenno voci che
nisciuno potiva sintiri e Barrafato che l'arraggiungiva,
l'agguantava per i capilli, la faciva firriari, le mollava
un gran càvucio nella panza...

Naturalmente, ha perso il bambino.

Si corcò e subito sprofonnò in un sonno piombigno,
armalisco.

Ma alle unnici spaccate dell'indomani a matino, che
accomenzava l'ura di visita, era allo spitale.

Mentri che s'attrovava ancora 'n mezzo al corridoio, 'ncontrò la 'nfirmera del jorno avanti.

«Vostra moglie non c'è».

«E unn'è?».

«Il professore la sta operando».

O matre santa! Che era successo?

«Ha passato una brutta nottata. Probabilmente ha un ematoma cerebrale».

«Che significa?».

«Che, in seguito alla frattura alla testa, si è provocato allato al cervello un... ma non è niente di grave, ve l'assicuro».

Un'altra mazzata. Non aviva cchiù la forza di reggiri male novi. Dovitti appuiarisi al muro. La 'nfirmera lo compatì.

«Sentite, l'operazione sta per finire. Andate in sala d'aspetto. Vi vengo a informare».

Ma quanti straminii doviva supportari ancora quella povira disgraziata di sò mogliere? Che piccati aviva fatto nella sò vita di mischineddra che Dio glieli stava facenno scuttari accussì?

E tutto 'nzemmula il sò duluri cangiò verso, ora non era cchiù per il picciliddro pirduto, ma per lei, per sò mogliere, la sò fìmmina, per tutti i patimenti che stava passanno, 'nnuccenti come un agneddruzzo, per quelle sò carni strapazzate, martoriate, abbilute...

Appresso a 'na mezzorata arrivò la 'nfirmera. Sorridiva.

«L'operazione è perfettamente riuscita. La volete vedere?».

«No».

La 'nfirmera lo taliò 'mparpagliata. Se la vidiva, le sarebbi caduto davanti agginocchioni, l'avrebbi abbrazzata, l'avrebbi tinuta accussì stritta che manco con la sciamma ossidrica avrebbiro potuto separarli. Carni della sò carni.

«Grazii» dissi alla 'nfirmera.

«Il professore vi vuole vedere. Vi accompagno».

Come il jorno avanti, il professori stava assittato darrè alla scrivania col cammisi bianco.

«L'infermiera vi avrà informato che tutto è andato bene. Credo che tra una settimana sarà in grado di essere dimessa. Ieri mi sono dimenticato di dirvi una cosa che non è certo di poco conto».

E doviva essiri 'na cosa seria, pirchì prima di dirla tussiculiò.

«Il danno procurato dalle pedate del bruto che ha infierito a lungo è stato devastante... Vi devo dire che si è servito della stessa sbarra con la quale le ha fracassato la testa per infilargliela... insomma, capitemi. E così siamo stati costretti a... Insomma, sono dolente di dovervelo dire, ma vostra moglie non potrà mai più avere figli».

«Grazii, professori».

Quanno, qualichi misata appresso, tentò d'arricordarisi quello che aviva fatto da allura che era nisciuto dallo spitale, non ci arriniscì. Come era tornato a Vigàta da Montelusa? Non gli viniva a menti d'aviri pigliato la correra, forsi se l'era fatta a pedi. Un tri quarti d'ura e passa di camino. Era stato a la casa di Totò? Aviva mangiato? Boh.

Accomenzò ad aviri mimoria sulo dal momento che s'assittò, come la sira avanti, supra alla panchina 'n punta al molo.

«Mi posso accomidare?».

«S'assittasse».

Don Simone s'addrumò il sicarro.

«Ci pinsasti?».

«Ci pinsai».

«Che addecidisti?».

«Che ai sirpenti vilinosi ci si scrafazza la testa. Lo sapiti, don Simone? I sciuri e i cioccolattini ci portava a Minica! Diciva che le arricordava a sò mogliere morta! A questo sirpenti la testa gliela voglio scrafazzare io».

«Mi jocavo i cabasisi che avresti arrispunnuto accussì. Bravo».

Tirò 'na longa sicarrata.

«Tu passannadumani torni 'n servizio, vero?».

Ma come faciva a sapiri tutto?

«Sissi».

«Allura la facenna abbisogna concludirla dumani a sira, prima che tu torni al casello. Dimmi 'na cosa: le visite allo spitale sunno tanto di matina che di doppopranzo?».

«Sissi».

«A che ura finisci la visita del doppopranzo?».

«Alle setti di sira».

«Benissimo. Tu dumani vai ad attrovare a tò mogliere la matina e il doppopranzo. Fatti notari da cchiù pirsone che puoi. Alle setti, davanti allo spitale, ci sarà 'na Balilla. La porta Stefanuzzo Vattiato, l'acconosci?».

«Nonsi».

«È un trentino granni, grosso che pari un bisonti. Tu acchiani 'n machina e tempo mezzora siete al passaggio a livello allato al casello di Barrafato. A quell'ura l'ultimo treno è passato. Facemo 'na cosa svelta e tornamo narrè. Io ti lasso appena trasuti a Vigàta. E tu vai di cursa dal marisciallo».

Nino strammò.

«Da Pintacuda? E che ci vaio a fari?».

«L'alibi ti vai a fari, Nino. Gli dici che sei appena tornato da Montelusa e che t'è vinuta 'n testa 'na cosa».

«E chi cosa?».

«Che Barrafato faciva troppi rigali a tò mogliere».

«Ma pirchì devo annare a squietari il cani che dormi?».

«Pirchì accussì Pintacuda non potrà mai pinsari che sei stato propio tu ad astutare a Barrafato, cridimi. E po', quanno l'avresti fatto? Sei nisciuto dallo spitale, te la sei fatta a pedi fino a Vigàta, appena arrivato sei annato in caserma... Devi abbadari a 'na sula cosa. Che quanno acchiani nella machina di Stefanuzzo, nisciuno ti devi vidiri. Ti stinnicchi nel sedili posteriori».

Alla matina gli dissiro che Minica stava meglio ma non gliela ficiro vidiri. Al doppopranzo gli dissiro che stava come la matina, ma che potivano farglielia vidiri. Arrefutò. Allura la 'nfirmera gli spiò:

«Scusatemi, ma se non la volete vedere, che ci venite a fare qua?».

«Mi la sento vicina e m'abbasta».

Alla nisciuta, vitti subito la machina, ma siccome c'era genti, s'avviò a pedi come se annava a pigliare la trazzera che accorzava la strata per Vigàta. Notò che la Balilla lo seguiva. A un certo punto la machina gli s'accostò, Nino raprì lo sportello di darrè e si stinnicchiò supra al sedili cummigliannosi la facci con un vrazzo come se durmiva. C'era un granni asciucamano e lo usò come cuscino.

Doppo 'na mezzorata che caminavano, Stefanuzzo si voltò verso Nino e gli dissi:

«Stamo arrivanno, accomenza a spogliariti».

«Mi devo spogliari?».

«Sì, nudo completo. Macari le scarpi».

La machina si firmò appena superato il passaggio a livello. La casa di 'Ntonio Trupia, quello che fumava tabacco e merda, aviva le porte e le finestre 'nserrate, forsi Trupia era ghiuto da qualichi parte. Dal finistrino s'affacciò don Simone.

«Io e Stefanuzzo annamo avanti. Tu conta fino a cincocento, po' scinni e veni al casello».

«Nudo?».

«Sì, non ti scantare che a quest'ura non passa nisciuno».

Mentri contava, notò che davanti alla porta di Trupia ci stavano tri cati chini d'acqua. Arrivò a cincocento, prima di nesciri taliò avanti e narrè.

Non viniva nisciuno. Scinnì, si fici di cursa la dicina di metri che ci volivano per arrivari al casello, trasì.

Barrafato, nudo come a lui, stava stinnicchiato a panza sutta supra al tavolino da mangiari. Stefanuzzo stava finenno d'incularlo. Gli tiniva una delle sò mano enormi supra alla vucca per 'mpedirgli di fari voci.

Ma Nino accapì che Barrafato, macari se lo voliva, non sarebbi stato capaci di fari un lamento, tanto era malo arridutto.

«Teni» fici don Simone.

E pruì a Nino un cuteddro a serramanico già aperto, stritto e longo, assimigliava a un rasoio.

Stefanuzzo si sfilò, pigliò per i capilli a Barrafato, lo firriò, lo tenni addritta. L'omo non aviva cchiù facci, pariva 'na speci di maschira di cannalivari. Si era pisciato e ora si stava cacanno. Stefanuzzo, tinennolo distanti a vrazza tise, gli tirò la testa narrè, in modo che offriva il collo a Nino.

«Ora» dissi don Simone.

La mano di Nino si mosse squasi indipendentemente dal sò ciriveddro, tranciò con un colpo netto e priciso la carni della cosa che gli stava davanti. 'Na schizzata di sangue càvudo che parse nisciuta da un rubbinetto pigliò a Nino in pieno petto, gli sciddricò da supra alla panza fino alle gamme.

«Passa il cuteddro a Stefanuzzo» gli dissi don Simone.

Glielo detti. Stefanuzzo si calò supra al morto, gli tagliò i cabasisi, se li tinni nella mano mancina mentri con la mano dritta gli rapriva la vucca e po' glieli 'nfilò dintra.

Fu allura che Nino accapì che non ce l'avrebbi fatta a cataminarisi di un passo.

«Iamuninni» ordinò don Simone.

Ma Nino ristò 'na statua. Allura Stefanuzzo gli s'avvicinò e gli mollò 'na timpulata che a momenti gli svitava la testa.

«Camina!».

Caminò. Davanti alla porta della casa di Trupia sintì la voci di don Simone che gli diciva di firmarisi. Si firmò. Stefanuzzo pigliò uno dei tri cati e glielo arrovesciò d'incoddro. Squasi tutto il sangue spirì. Stefanuzzo gli posò il secunno cato allato.

«Lavati megliu» dissi mentri annava a pigliari l'asciucamano da dintra alla Balilla.

Nino si puliziò bono e s'asciucò. Stefanuzzo intanto si stava lavanno la facci e le mano coll'acqua dell'ultimo cato. Don Simone era annato ad assittarisi in machina. Po' Stefanuzzo rimisi i tri cati vacanti davanti alla porta e s'assistimò al posto di guida.

«Forza! Acchiana e vestiti!» fici don Simone.

Nino bidì. Se quello non glielo diciva, capace che ristava nudo indove s'attrovava fino a matina. La Balilla partì.

Otto

La sira, doppo essiri stato 'n caserma, Nino tornò a la casa di Totò e, dato che ancora il mangiari non era pronto, ebbi tanticchia di tempo per parlari con l'amico. S'attrovaro d'accordo che tutto quello che era capitato nel saloni di don Amedeo a scascione della sbrasata del cavaleri Ingargiola significava la fini dei concertini dominicali. Non era cchiù cosa.

D'altra parti, il varberi stisso non aviva fatto palora all'eventualità di ripigliarli. Pacenzia, abbisognava aspittare che il vento cangiava.

A tavola, non arriniscì ad agliuttiri nenti. Po' arringraziò la matre di Totò e si annò a corcare. Non potì chiuiri occhio, gli viniva sempri davanti la maschira di Barrafato.

L'indomani a matino che manco erano le cinco, niscì dalla casa di Totò con la truscia della robba sò e il mandolino e s'avviò alla stazioni. Don Filiberto Pasqua, il capostazioni, l'abbrazzò, s'informò come stava Minica e po' gli spiò:

«Te la senti di tornare a travagliare? Pirchì masannò ti posso fari dari altri tri jorni».

«Grazii. Me la sento».

«Quanno pensi d'annare a trovare a tò mogliere? La matina o il doppopranzo?».

«Meglio il doppopranzo».

«Allura ogni jorno alle tri ti manno a uno che ti sostituisci fino alle novi. E tu tinni pò ghiri a Montelusa. D'accordo?».

«Grazii».

Pigliò il carrello e partì. Avvicinannosi al casello di Barrafato, notò a distanzia che non c'era movimento, anzi non si vidiva anima criata. Signo certo che ancora il catafero non era stato scoperto. Ma quanno passò all'altizza della porta, gli fagliò il coraggio di taliare dintra e voltò la testa verso il mari. Arrivò, misi il carrello nel binario morto, raprì, trasì.

S'aspittava d'attrovare la casa suttasupra, che macari ancora si vidivano 'n terra le macchie di sangue. Inveci tutto era in ordine, puliziato che ogni cosa sbrilluccicava. Si vidi che ci aviva pinsato l'amministrazioni. Macari nella càmmara di dormiri tutto era al posto sò, il letto rifatto, i linzoli novi. Come se là dintra non era mai capitato nenti.

L'omo che doviva sostituirlo nel doppopranzo arrivò con tanticchia di ritardo. Era Ciccio Jacolino, l'accanosciva bono.

«Mi devi ascusare, Nino, ma non è corpa mia. Nell'altro casello, quello di prima di ccà, c'è un burdello».

«Che successi?».

«Ammazzaro al casellante».

«Davero?! E quanno?».

«Pari aieri a sira».

«E come si 'nn'addunaro?».

«Fu un automobilista che arrivato al passaggio a livello ebbi di bisogno d'acqua per il motori. Allura annò al casello e attrovò il morto».

«E come l'ammazzaro?».

«A cutiddrate. Ah, senti, il marisciallo Pintacuda, che era là, mi dissi di diriti se ora quanno passi ti fermi un momento al casello che ti voli parlari».

Nino pigliò il carrello e partì. Davanti alla porta del casello c'erano quattro carrabbineri, tri òmini in borgisi e dù beccamorti. Perciò il catafero non si l'erano portato, doviva essiri ancora dintra. Non ebbi gana di vidirlo.

Chiamò a uno dei carrabbineri e gli dissi d'avvirtiri a Pintacuda che lui era arrivato. Il marisciallo niscì subito, gli s'avvicinò.

«Hai saputo?».

«Sissi».

«Stai andando all'ospedale?».

«Sissi».

«Avrei bisogno di una tua deposizione».

«E che devo diri?».

«Mi devi ripetere quello che mi hai detto ieri sera. Facciamo così. Alle sette ti mando a pigliare con una nostra macchina. A che ora devi essere di ritorno al casello?».

«Alle novi».

«Per le nove ce la farai».

«Sicuro? Pirchì masannò avverto a Jacolino che...».

«Non c'è bisogno d'avvertire a nessuno».

Gli parse che il marisciallo era sincero, non gli stava priparanno un trainello.

«Vostra moglie sta molto meglio. Però ancora non riesce né a ricordare né a parlare. La volete vedere?».

«Ora sì».

«Vi siete deciso, finalmente!» dissi la 'nfirmera. «Però vi faccio restare con lei solo cinque minuti. Non vorrei che, riconoscendovi, si mettesse in agitazione».

Di Minica si vidiva sulo la testa 'nfasciata pejo di prima. Le labbruzza si stavano sgonfianno, ma sutta all'occhi aviva dù mezzelune nìvure. Tiniva le palpebre calate. Nino non la sintì respirari e si scantò. Si calò con la testa, avvicinò l'oricchio alla facci di lei, sintì finalmenti il respiro, accussì debboli che forsi macari 'na musca faciva cchiù rumorata.

S'assittò supra alla seggia ai pedi del letto. Doppo manco un minuto, Minica raprì l'occhi, lo taliò senza spressioni e li richiuì subito. Non l'aviva raccanosciuto. Ma immediatamenti appresso li riaprì e accomenzò a taliarlo fisso. Vitti che le si formava 'na ruga tra le dù sopracciglia. Si stava sforzanno, mischineddra, di dari un nome a 'na faccia che le pariva di conoscenti. Gli vinni di sorriderle. Allura, tutto 'nzemmula, lei s'arricordò, l'arraccanoscì. E Nino l'accapì non pirchì Minica aviva parlato o si era cataminata, ma pirchì i sò occhi, prima 'ntenti e 'nterrogativi, addivintaro di colpo dù lachi profonnissimi, anzi senza funno, di muto, dispirato, denso duluri.

E dù gocci traboccaro da quei lachi, rigaro la facciuzza di Minica.

Alla nisciuta, c'era la machina dei carrabbineri che in deci minuti lo portò a Vigàta. Il maresciallo Pintacuda gli fici firmari il virbali del jorno avanti e po' gli dissi 'na cosa che lo strammò.

«Sono quasi sicuro che il movente dell'ammazzatina di Barrafato è da cercarsi in qualcosa che deve aver fatto a Fiumefreddo».

«Pirchì vossia pensa accussì?».

«Per quello che ci ha detto 'Ntonio Trupia, quel contadino che ha la casa quasi attaccata al casello, lo conosci?».

«Di vista. Che vi dissi?».

«Che ieri sera, verso le sette e mezzo, mentre chiudeva casa per andare a trovare a sua figlia a Montereale, ha visto arrivare una Lancia targata Palermo, purtroppo non si ricorda i numeri, dalla quale sono scesi due uomini, uno molto alto, magro e biondo, l'altro basso e tarchiato, che si sono diretti al casello».

Don Simone, se non era dio, picca ci ammancava. Aviva fatto in modo che lui era completamenti fora della facenna. Perciò potiva accomenzare a tintari di scordarisilla.

Un doppopranzo finalmenti gli dissiro che mancavano dù jorni alla nisciuta di Minica dallo spitale.

Allura il jorno appresso, prima di partirisinni per Vigàta, s'infilò sutta al letto, sollevò il maduni, pigliò 'na poco di sordi e se li misi 'n sacchetta.

Oramà era inutili sparagnarli per un figlio che non sarebbi mai cchiù potuto viniri.

Minica gli dissi che abbisognava che, dovenno nesciri all'indomani matino, lui gli portava un vistito, le scarpi e un fazzoletto da mettiri 'n testa, pirchì s'affruntava a farisi vidiri coi capilli rasati. Glieli avivano tagliati per farle l'operazioni.

Minica, al casello, aviva tri vistiti e dù para di scarpi.

«Quali vo' che ti porto?».

«Non m'arricordo la robba che ho. Piglia quello che ti veni».

Non m'arricordo. Da quanno aviva ripigliato a parlari, era la cosa che diciva cchiù spisso.

Quella sira stissa, quanno tornò a Vigàta, si firmò in un nigozio indove vinnivano radio e sinni accattò una, di marca Marelli, che potiva stari nella càmmara di sutta, posata supra alla cridenza.

Gli spiegaro come doviva mittiri l'antenna, che era un filo longo longo, la pagò, se la carricò, se la portò alla stazioni. Avvertì a don Filiberto che doviva annare il jorno doppo allo spitale di matina pirchì Minica nisciva.

«A che ura la mettino fora?».

«A mia dissiro all'una».

«Ti mando a Jacolino alle deci, va bene?».

La radio funzionò ch'era 'na billizza, passò la sirata a sintiri sulo canzunette e musica. Appena c'era qualichiduno che si mittiva a parlari, girava la manopola e annava a circari altra musica. Di sicuro Minica

106

ne sarebbi ristata contenta, la radio le avrebbi tinuto compagnia.

La matina appresso fici 'na truscia con la robba di sò mogliere e aspittò a Jacolino che s'appresentò alle deci e mezza. 'Nzumma, arrivò allo spitale che era sonato mezzojorno. Minica si susì, annò a lavarisi, si vistì, all'una niscero, acchianaro nella correra e all'una e mezza erano alla stazioni.

S'avviò per pigliare il carrello ma vinni firmato da don Filiberto.

«Unni vai?».

«Al carrello».

«Avà, non babbiare. Ho autorizzato il treno delle tri per Castellovitrano a firmarisi al casello. Per tò mogliere il carrello sarebbi uno strapazzo. E intanto viniti a mangiarivi 'na cosa».

Li portò nella sò bitazioni che era al primo piano della stazioni, la signura Concetta, la mogliere, aviva priparato pasta col suco e pisci fritti.

Fu la prima volta che Nino, doppo jorni e jorni, mangiò con pititto.

Il carrello vinni attaccato all'ultimo vagoni del treno, Nino e Minica foro fatti acchianare da don Filiberto in prima classi e assistimati in uno scompartimento vacante. Manco un minuto ch'erano partuti, trasì il capotreno-controllori. Voliva salutari a Nino e a Minica. Era don Gaspano, quello che aviva mittuto il lutto supra alla locomotiva per i passiggeri morti e che Ingargiola aviva fatto arristari.

«Ne ha fatto danno Ingargiola, eh?» spiò don Gaspano.

«È un grannissimo strunzo» fici Nino.

«No, è sulo uno strunziceddro. Nico nico. Lo strunzo grannissimo sta a Roma e duna ordini» disse don Gaspano.

Po' trasì la gnà Filippa Ciulla, abbrazzò a Minica e le lassò supra alle gamme un gaddruzzo vivo coi pedi attaccati che valiva un tesoro, dato che il mangiare scarsiava da tempo.

«A nomi di tutti i passiggeri» dissi niscenno.

La prima cosa che Minica notò trasenno fu la radio supra alla cridenza. La taliò 'mparpagliata.

«Ma 'sta radio c'era prima o l'hai accattata ora?».

«Ora l'accattai, accussì passi tempo».

Minica se n'annò subito a corcarisi, il viaggio l'aviva stancata. Nino le si stinnicchiò allato. Minica gli affirrò 'na mano e gliela tinni stringiuta forti.

Nino sintì il sò cori che accellerava, forsi Minica si era arricordata di quello che era capitato nella mallitta nottata e voliva parlariglinni. Ma invece Minica ristò in silenzio. E po' Nino avvirtì che la mano che stringiva la sò a picca a picca pirdiva forza. Sò mogliere si stava addrummiscenno.

Cchiù tardo annò nell'orto che era stato trascurato. Le gaddrine inveci c'erano tutte, si vidi che il sostituto ci aviva abbadato e in cangio si era mangiato le ova. Ma cinni erano dù frischi frischi. Si misi a fari pulizia nell'orto, azzappanno e livanno la virdura e le fogli 'ngiallute.

Per la sira, avrebbi priparata 'na bella ministrina e dù ova fritti con un filo d'oglio pirchì l'oglio, come ogni altra cosa, scarsiava.

Per farla mangiari, dovitti arrisbigliarla. Le fici prima pigliare le midicine che le avivano dato, po' l'aiutò a susirisi a mezzo mittennole i cuscini darrè alla schina. Minica non ne aviva gana, e lui, assittato a sponda di letto, la civò come a 'na picciliddra, 'nfilannole un cucchiaro alla volta nella vucca doppo avirla pirsuasa a raprirla.

Appresso, Nino annò a mangiari di sutta. Doppo lavò i piatti e visto che Minica si era novamenti addrummisciuta, addrumò la radio tinennola vascia vascia. Doppo l'astutò e sinni acchianò per corcarsi. Minica era vigliante e stava con l'occhi fissati a taliare il tetto. Le stava tornanno la memoria di quello che Barrafato le aviva fatto? Nino si scantava di quanno sarebbi arrivato il momento che sò mogliere principiava a fargli dimanne. Pirchì di sicuro Minica gli avrebbi ditto di denunziari a Barrafato. E lui avrebbi dovuto arrispunnirle che Barrafato era stato ammazzato. Ed era certo che sò mogliere, a quella risposta, di subito si sarebbi fatta pirsuasa che ad astutarlo era stato lui. E Nino sapiva benissimo che davanti alla sò taliata non avrebbi avuto la forza di nigarle la virità. E allura come se la sarebbi pinsata? Come avrebbi reagito?

Si corcò. Come nel doppopranzo, Minica gli affirrò la mano.

«Dobbiamo ancora portari tanticchia di pacienza» dissi.

Nino non accapì.

«Per chi cosa?».

«Per fari all'amuri. Piccamora mi fa troppo mali».

«Non t'apprioccupari. Tempo ci 'nn'è quanto 'nni volemo».

«Ma io lo voglio subito».

Macari 'sta volta Nino non accapì.

«Che vuoi subito?».

«Un altro figliu».

Aggelò. Perciò lei lo sapiva che il figlio se l'era perso, ma nisciuno nello spitale aviva attrovato il coraggio di dirle che non sarebbi stata mai cchiù in condizioni di figliare. E ora come faciva a diriccillo? Con quali palori?

Ci pinsò tutta la nuttata, po', alle sett'arbe, criditti d'aviri attrovato l'unica cosa da fari.

La matina, doppo che si era vivuta l'ovo frisco che le aviva portato il marito, Minica dissi che si sintiva meglio assà e che perciò avrebbi cucinato lei il gaddruzzo che le era stato arrigalato e al quali Nino aviva tirato il coddro. Lo spinnò stanno assittata supra a 'na seggia allato alla porta del casello, po', quanno trasì dintra per mettiri la pignata, si fici spiegari come funzionava la radio e l'addrumò.

Mentri mangiavano, Nino tirò fora il discurso che aviva addeciso di farle.

«Senti, a proposito di quello che mi dicisti aieri a sira…».

«Che ti dissi?».

Se l'era completamenti scordato.

«Mi dicisti che ti faciva ancora mali».

«Ah, sì».

«Ecco, ho fatto 'na pinsata».

«Dilla».

«Certo, i duttura sunno i duttura. Ma secunno mia la mammana a tia ti po' aiutare chiossà».

«Vuoi chiamari 'na mammana? Quali? Acconosci a 'na mammana?».

Matre santa, ma come faciva a non arricordarisi che donna Ciccina Pirrò era vinuta dù vote a visitarla?

«Sì. Capace che t'attrova un rimeddio che ti fa tornari a posto prima. Che 'nni dici?».

«Mi pari 'na bona pinsata».

«Te la senti d'abbadari oggi tu al casello?».

«Oggi no, sugno tanticchia stanca e voglio annare a corcarmi. Ci vai domani a matino».

Ma le cose annarono diverso. Aviva appena fatto jorno che arrivaro l'aeroplani 'nglisi. Si ficiro 'na prima passata linea linea sgancianno bummi che però non arriniscero a pigliari i binari. Nino e Minica, arrisbigliati di colpo, scapparo fora dal casello mezzi nudi com'erano, po' Nino si carricò d'incoddro a sò mogliere che non potiva corriri e la portò il cchiù lontano possibili dalla strata firrata. Si misiro assittati sutta a un granni àrbolo d'aulivo saraceno che era nel tirreno di Agustino Scozzari. Era un àrbolo che aviva un tronco enormi, ma 'n mezzo era tutto cavo tanto che dintra, attraverso 'na spaccatura, ci si potiva 'nfilare un omo ad-

111

dritta. E quanno alla secunna passata dell'aerei 'na bumma cadì nelle vicinanze e le scheggi tranciarono i rami di un àrbolo di mennuli davanti a loro, Nino affirrò a Minica come se era 'na pupa e l'assistimò dintra al tronco, accussì stava cchiù riparata. Lui si stinnicchiò 'n terra. Doppo 'na terza passata, l'aerei pigliaro la parti di mari. Il casello non aviva avuto guasto, ma la strata firrata sì. Nino dovitti travagliare fino a sira con altri operai arrivati da Sicudiana per arriparare al danno.

Dalla mammana ci potì annare sulo la matina appresso. Il marito della mammana l'arricivì e gli dissi che sò mogliere era fora pirchì c'era una che stava sgravanno prima del tempo. Consigliò a Nino di tornari doppo un'orata. Nino passò a salutari a don Amedeo. Quanno trasì, sintì distintamenti a don Antonio Fares, che si stava facenno fari la varba, che diciva:

«... e non c'è dubbio che in Russia ce la pigliamo 'n culo tideschi e taliàni, con la nivi che c'è...».

Po' passò dal cafè Castiglione, voliva accattare quattro cannoli ma gli dissiro che cose duci, d'ordine del fascio, non sinni dovivano fari cchiù, fatta cizzioni della dominica.

Tornò in casa della mammana, l'attrovò, le contò quello che gli aviva ditto il professori dello spitale.

«'Nzumma, mi pari d'accapiri che tu disidiri che sia io a dirle che non può cchiù aviri figli?».

«Sissi».

«Come ci annamo al casello?».

«Col carrello».

«E po' mi riaccompagni tu sempri col carrello?».

«Sissi».

«Non mi pirsuade».

«Pirchì?».

«Raggiuna, figlio mio. Io vaio a diri a tò mogliere, doppo quello che la mischina ha passato, che non potrà cchiù figliare e po' la lassamo sula minimo per un dù orate? E se quella, dispirata, si ghietta a mari?».

«Vero è. Allura come si pò fari?».

«Tu dumani a matino alle deci mi veni a pigliari alla firmata della correra davanti alla casa di Agustino».

«E si fa tricento metri a pedi?».

«Pacenzia».

Donna Ciccina Pirrò fu di parola. Visitò a longo a Minica mentri Nino sinni stava nirbùso a pianoterra a passiare avanti e narrè. Po' scinnì.

«Ogni cosa le dissi. Ora tu vai da lei, ma in questi jorni non la lassare mai, m'arraccomanno. Non c'è bisogno che m'accompagni, ci arrivo da sula fino alla casa di Agustino».

«Ma com'è che non la sento chiangiri?».

«Pirchì è ancora sturduta da quello che ha saputo. Appresso si mittirà a chiangiri e sarà meglio».

Nove

Ma Minica non chiangì né allura né appresso.

A Nino parse che la sorgenti delle lagrime, dintra di lei, si era asciucata di colpo, doviva essiri addivintata tutta asciutta come il diserto. Non chiangì manco quella vota che, mentri cucinava, il cuteddro puntuto le cadì dalla mano e le si 'nfilò dritto nel pedi mancino. Niscì tanto sangue che Nino s'appagnò e accomenzò a darle adenzia con mano trimanti, e lo spirito col quali disinfittò a longo la firita doviva abbrusciare assà, ma lei nenti, né 'na lagrima né un lamento, né ai né bai.

La guerra, a mità del 1942, 'ncaniò.

'Na notti sì e 'na notti no l'aeroplani vinivano per bummardare Vigàta, la contrarea che era assistimata nella parti àvuta del paìsi e le mitraglie di bordo delle navi militari accomenzavano il foco di sbarramento, i traccianti formavano, nello scuro del celo, 'ntrecci cchiù belli assà di un joco di foco.

Una notti che Nino vinni arrisbigliato dai botti lontani dell'incursione, si susì e scinnì nella pilaja che da lì si vidivano meglio le vampe delle bumme e il virivirì della contrarea.

114

E mentri stava a taliare, allato gli arrivò Minica che si era arrisbigliata macari lei. Sò mogliere sinni stetti un pezzo a taliare e po' dissi:

«'St'anno sunno meglio dell'anno passato».

«Chi cosa?».

«I jochi di foco di san Calorio».

«Ma chista non è la festa di san Calorio!».

«Ah, no? E che è?».

«La guerra è».

«La guerra? Pirchì, c'è la guerra?».

Un jorno annò a Vigàta per attrovare robba di mangiare.

Nelle putìe e nei negozi oramà tutto scarsiava, c'erano sulo le cose che si vinnivano con la tessera. Ma per accattare deci chila di frumento, un litro d'oglio o mezzo chilo di carni si doviva annare darrè alla pischeria indove ci stavano cinco o sei òmini ai quali dovivi arrivolgiriti per aviri quello che t'abbisognava. Spiavi a uno:

«Quanto veni 'na buttiglia d'oglio?».

Quello diciva il prezzo, che era quello, non ti livava manco un cintesimo, gli davi i sordi 'n contanti e doppo manco deci minuti arrivava la buttiglia 'ncartata.

Ogni cosa custava un occhio. Ma Nino, per fortuna sò, i sordi l'aviva.

E po' non voliva fari ammancare nenti a Minica.

Fatta la spisa, s'avviò verso la stazioni.

Via Cannelle era 'na ruvina, ogni tri case una era o abbrusciata o mezza sdirrupata a scascione delle bumme e la genti che aviva bitato in quelle case, arridutta di colpo povira e pazza, ora circava 'n mezzo alli macerie se attrovava qualichi cosa di ancora sano.

Si misi a caminare cchiù svelto, meglio ghirisinni il prima possibili luntano da Vigàta.

«Nino!».

Si firmò, si voltò. Era don Simone. Non si vidivano da quella sira di Barrafato.

«Come sta tò mogliere?».

«Di saluti, bona. Ma non c'è con la testa».

«Mischina. Lo sapisti di Ingargiola?».

«Nonsi. Che fu?».

«L'altra sira, che era sonato l'allarmi, niscì di casa per corriri al ricoviro, ma sciddricò e cadì 'n terra rompennosi 'na gamma. Allura, siccome che la contraerea aviva accomenzato a sparari, si misi a chiamari aiuto ma nisciuno si firmò, vinni lassato fora. E 'na scheggia lo pigliò alla gamma sana. A momenti moriva dissanguato. Pare che resterà zoppo per sempri. Lui però la conta diversa».

«E come la conta?».

«Che quanno niscì per annare di cursa al ricoviro uno scanosciuto gli fici lo sgambetto e po' gli sparò alla gamma. Tu a chi cridi?».

«A Ingargiola».

Don Simone si misi a ridiri, po' tornò serio.

«Senti, ti devo parlare».

«Parlasse».

«Meglio al casello. Verso le quattro ti vegno a trovari».

Doppo il casello prima del sò si dovitti firmari pirchì stava passanno 'na mannara di crape. Fici 'na pinsata e acchiamò al vecchio capraro che si chiamava Billicò.

«Billicò, haio bisogno di latti».

«Ora te lo mungio».

«No, voglio 'na crapa per avirlo frisco ogni matina».

«Non minni voglio privari».

Gli vinni 'n menti 'na farfantaria.

«È per mè mogliere che aspetta».

«Cara assà ti veni».

«Tu dimmi sulo quanto».

Il vecchio sparò, Nino ribattì la mità. Doppo deci minuti di pattiata, Billicò 'ncaprettò all'armàlo e glielo misi supra al carrello.

Per prima cosa libbirò la crapa, raprì il magazzino e attaccò la vestia con un pezzo di corda a un chiovo che c'era nella porta, accussì potiva stari dintra o fora, a piaciri sò. Annò nell'orto, le coglì l'erbuzza e gliela detti.

Quanno trasì 'n casa con la robba, attrovò a Minica assittata vicina alla radio addrumata che faciva scarriche che parivano trona di un timporali.

Nino girò la manopola e pigliò 'na stazioni che mannava musica.

«No!» dissi Minica. «Quella prima!».

Voliva le scarriche! Ci piacivano. E 'nfatti, quanno le sentì novamenti, fici la facci cuntenta.

«Vidi pirchì l'acqua non quadia» dissi.

La cucina era in muratura con dù fornelli a ligna. Minica aviva addrumato il foco in uno, ma aviva mittuto la pignata con l'acqua supra all'altro, quello astutato.

Po' Nino pigliò la pasta per calarla.

«Sulo per tia» dissi Minica.

«Tu no?».

«Non haio pititto».

Mangiava sempri di meno e quanno Nino arrinisciva a farle agliuttiri qualichi cosa, doppo tanticchia nisciva fora e vommitava. Spisso sinni stava nell'orto, ma non travagliava, non faciva nenti. Si stinnicchiava 'n terra e coi pedi nudi si mittiva a scavari il tirreno fino a quanno non li aviva completamenti 'nfussunati.

E macari quel jorno Minica niscì a vommitare le tri furchittate di pasta che Nino era arrinisciuto a farle mangiare. Po' sinni annò nell'orto. Nino puliziò tutto e lavò 'n terra, dato che doviva viniri don Simone. Po' annò a vidiri che faciva Minica.

Sò mogliere tiniva l'occhi aperti però non lo vidiva. Aviva i pedi 'nfussunati 'n terra, ma stava addritta. Tiniva 'n mano il cato chino d'acqua e 'nni stava virsanno tanticchia nel tirreno che cummigliava i sò pedi. Forsi si voliva rinfriscari.

«Ma non è meglio se 'nfili i pedi direttamenti dintra al cato?».

Lei girò sulo la testa.

«Dintra al cato? E come fanno a spuntarimi i radici dintra al cato?».

Con uno scanto che l'inabbissò, Nino accapì che Minica non stava babbianno.

Don Simone arrivò puntuali. Se l'era fatta a pedi dalla casa d'Agustino.

S'assittaro torno al tavolo e don Simone aggradì un bicchieri di vino.

«Tò mogliere unn'è?».

«Nell'orto».

«Le dici se ci resta un quarto d'ura? Ho da parlariti a sulo».

«Non s'apprioccupasse, non veni ccà».

«Oggi che jorno è?».

«Jovidì».

«Dominica notti bummardano Vigàta, Montereale, Sicudiana e Fiacca».

Come faciva a sapirlo? Ma la meglio era di non fari dimanne.

Don Simone 'nfilò 'na mano 'n sacchetta, cavò fora 'na busta, tanto china che manco chiuiva bona, la posò supra al tavolo.

«Pigliatilla».

«E chi c'è dintra?».

«Cincomila liri».

«E pirchì mi voli dari tutti 'sti sordi?».

«Per un favori che mi devi fari».

«Io il favori ce lo fazzo senza che vossia me lo paga».

«Questi sordi non m'appartengono, perciò te li puoi pigliare».

«Ma chi minni fazzo? Non mi serbino».

«Per esempio, con questi sordi potresti fari curare bona a tò mogliere. La porti a Palermo da uno bravo».

Non ci aviva pinsato! Don Simone aviva raggiuni, i sordi potivano serbiri.

«Che devo fari?».

«Devi tiniri ammucciato a uno per dù jorni. Questo casello sperso è un posto bastevolmenti sicuro».

Tutto 'nzemmula, gli tornò a menti la grutta dintra al pozzo.

«Forsi un posto cchiù sicuro ce l'haio».

«Meglio accussì. Pirchì ti devo avvertiri: se ti scoprono che hai ammucciato a quest'omo, ti fucilano. Chiaro?».

«Chiaro».

«Come ti dissi, dominica notti, che non c'è luna, a mezzannotti e mezza, bummardano tutta la costa. La luci davanti alla porta di ccà funziona?».

«Sissi».

«Deci minuti doppo che è accomenzato il bummardamento, l'addrumi».

«E se sinni addunano?».

«Nino, tutto 'sto burdello è fatto pirchì nisciuno talii da questa parti».

«Capii».

«Tu, doppo aviri addrumato la luci, nesci fora e tinni vai a ripa di mari. A un certo punto s'avvicinirà 'na varca con dù òmini. Uno scinni e l'altro si riporta la varca. L'omo che è scinnuto è il miricano che devi tiniri ammucciato».

«Miricano? Ma io non lo parlo il miricano!».

«Lui però parla il siciliano. Martidì notti, vegno io a pigliarlo».

Quanno don Simone sinni fu ghiuto, acchianò nella càmmara di dormiri e ammucciò sutta al maduni la busta. Po' annò nell'orto. Minica non si era cataminata, stava sempri addritta coi pedi 'nfussunati.

«Me lo inchi il cato d'acqua?» fici appena vitti a Nino.

«Basta con l'acqua, masannò t'arrifriddi!».

«Dammi l'acqua, i radici si siccano!».

Vinni pigliato da 'na raggia orba. Senza parlari, si ghittò supra a sò mogliere, l'agguantò per la vita, la sradicò, mentri Minica gli gracciava a sangue la facci con le deci dita, se la carricò, se la portò 'n casa, l'acchianò di supra, la ghittò nel letto e la pigliò a pagnittuna. Lei non chiangiva né si lamentiava, lo taliava con l'occhi sgriddrati e a chiangiri tutto 'nzemmula fu lui, a chiangiri e a dimannarle pirdono, ma Minica pariva non sintiri nenti, persa in un altro munno indove lui non sarebbi mai arrinisciuto ad arrivari.

L'indomani a matino, quanno s'arrisbigliò, vitti che Minica si era susuta.

S'approiccupò, la chiamò, ma non ebbi risposta. Scinnì, niscì, annò nell'orto.

Minica era addritta, in cammisa di notti, novamenti 'nfussata nel posto del jorno avanti, ma il fosso ora era cchiù funnuto, le arrivava squasi alle ghinocchia, pirchì se l'era fatto con lo zappuni che era 'n terra allato a lei.

Si stava annaffianno col cato. Ma appena vitti a Nino lo posò e pigliò lo zappuni.

«Se t'avvicini» dissi «ti spacco la testa».

A mezzojorno, in cangio d'aviri inchiuto il cato che si era svacantato, accittò di vivirisi dù ova frischi. Ma tenni sempri lo zappuni 'n mano. E siccome il tempo era cangiato e il celo era tutto 'na nuvolaglia pirmisi a sò marito di metterle 'na giacchetta pisanti supra alle spalli.

Verso le tri accomenzò a chioviri a leggio. Allura Nino annò a pigliare il paracqua granni che sutta ci stavano dù pirsone e glielo portò. Ma Minica non lo vosi.

«L'acqua di celo aiuta l'àrbolo a mettiri foglie».

Questa povirazza prima o po' si piglierà 'na purmunia che se la porterà 'n paradiso, pinsò Nino.

Ma non potiva faricci nenti. Chiamari il medico? E che potiva fari il medico? L'avrebbi fatta portari 'n manicomio. Ma lui da Minica non si sarebbi separato mai, per nisciuna raggiuni al munno.

L'unica era aiutarla.

Quanno vinni la sira, pigliò dù pali di ligno, tagliò le cime a forcella e l'infilò nel tirreno allato a Minica, uno a dritta e l'altro a manca, in modo che ci potiva appujare le vrazza quanno si stancava.

«L'àrboli in criscenza hanno bisogno di sustegno» le spiegò.

Lei aggradì. E po' si lassò mettiri d'incoddro il mantello di tila cirata che era in dotazioni a ogni casellante. E si vippi macari un cicarone di latti càvudo.

Il jorno appresso, ch'era sabato matina, s'arrisbigliò che ancora faciva scuro e scinnì al pianoterra.

Addrumò il foco, annò a mungiri la crapa, quadiò il latti, lo misi dintra al cicarone e lo portò a sò mogliere. Ma s'addunò che Minica durmiva addritta appuiata a un palo. La toccò a leggio supra a 'na gamma, la sintì tepita, non doviva aviri patuto tanto friddo.

Minica però in quel momento raprì l'occhi. Lo taliò, ma non lo vitti, come spisso faciva nell'ultimi tempi.

«Te lo pigli tanticchia di latti càvudo?».

Lei con lintizza lo misi a foco e con la testa fici 'nzinga di sì.

Fu allura, mentri che viviva, che Nino s'addunò che si era cacata e pisciata. Tornò in casa, pigliò la sponza e il sapuni, niscì, nell'orto inchì il cato, s'acculò e la lavò tutta.

Doppo principiò a travagliare per lei.

'Nfussonò quattro pali a fari quatrato, lassannoli àvuti in modo che supra alla testa di sò mogliere ci ristavano 'na vintina di centilimetri; tra le cime dei quattro pali, acchianato supra a 'na scala, fici un intreccio di fili di ferro e po' annò a pigliare dal magazzino un rotolo di 'ncannizzata che tagliò quanto gliene abbisognava e che attaccò con la raffia ai fili di ferro.

Ora sò mogliere aviva un tetto.

Nel doppopranzo, siccome in magazzino c'erano altri dù rotoli di 'ncannizzata, li usò per fari tri pareti. La quarta, quella dalla parti del casello, la lassò libbira.

Ora Minica stava dintra a 'na speci di casuzza come a quella dei sordati quanno montavano la guardia.

«L'àrboli in criscenza hanno bisogno di protezioni».

Lei gli sorridì.

«Ma ora devi mangiare qualichi cosa».

Minica era troppo contenta per diri di no.

Vinenno la sira della dominica, Nino pigliò la torcia, si livò scarpi e cazùna e si calò dintra al pozzo. Quanno toccò funno, l'acqua gli arrivava appena supra al ghinocchio. Trasì nella spaccatura, si fici il corridoio a salitella e arrivò dintra alla grutta.

Tutto era come l'aviva lassato, il tempo là dintra non funzionava.

Non voliva però dari 'na tinta 'mpressioni al miricano, epperciò pigliò 'na poco di lastre di marna che erano cadute e cummigliò l'ossa e la crozza di morto. Po' sinni riacchianò.

Minica aviva mangiato a cangio che Nino aviva 'nnaffiato il tirreno. Ora tiniva l'occhi chiusi, ma non accapì se durmiva.

A mezzanotti e mezza spaccate, s'accomenzò a sintiri 'na gran rumorata cupa che arrivava dalla parti di mari.

Po', tutto 'nzemmula, la costa 'ntera, da Vigàta fino a Fiacca, s'addrumò d'una luminaria che manco per la festa, la tammuriniata dell'antiaerea era accussì forti che l'oricchi dolivano.

E appresso, accomenzaro i botti delle bumme che davano la 'mpressioni di viniri dal dintra stisso della terra.

Ma tutto torno torno al casello era scuro fitto e calma assoluta, pirchì l'aerei sinni ristavano lontani.

Nino addrumò la luci di fora e annò a ripa di mari.

L'antiaerea continuava a sparari, tanto che 'n celo pariva che stava spuntanno la prima luci del jorno.

Doppo manco un cinco minuti vitti dallo scuro del mari viniri avanti 'na varcuzza e quanno arrivò a ripa s'addunò che non era fatta di ligno, ma di gumma.

Un omo scinnì supra la pilaja, la varcuzza riscomparì.

«Salutamo» fici il miricano.

«Salutamo» arrispunnì Nino.

Per prima cosa lo fici trasire 'n casa e subito astutò la luci di fora.

«Tanticchia d'acqua, pi favori» fici il miricano pruiennogli 'na borraccia chiuttosto granni.

Era un trentino nìvuro d'occhi e di capilli, vistuto borgisi, ma come un viddrano. Supra alle spalli tiniva uno zaino granni.

«Indove mi metti?» spiò quanno Nino ebbi finuto di inchiri la borraccia.

«Veni con mia».

Niscero fora. Il bommardamento era finuto. Si vidivano vampe lontane di case che abbrusciavano.

Portò il miricano al pozzo. C'era tanto scuro, accussì quello non s'addunò di Minica.

«Lassa ccà lo zaino, po' te lo calo io».

Il miricano si fici dubbitoso.

«Devo annare dintra al pozzo?».

«Sì».

Se la pinsò tanticchia, po' s'addecisi.

«Vai prima tu».

Nino accomenzò a calarisi e il miricano addrumò 'na torcia e lo seguì con la luci lungo la scinnuta.

«Ora scinni tu» gli gridò Nino dal funno.

Quanno il miricano gli fu allato, trasì nella spaccatura. L'altro lo seguì.

E nella grutta sbarracò l'occhi per la meraviglia. Il posto gli piacì assà.

«Vuoi che ti porto 'na coperta? Guarda che l'acqua del pozzo si può viviri».

«No, ho tutto. Macari le cose di mangiare. Calami lo zaino».

Po', quann'ebbi finuto col miricano, annò a taliare a Minica. Durmiva con le vrazza appuiate alle forcelle, pariva mittuta 'n croci, capace che non aviva manco sintuto tutto quel gran burdello.

Inchì il cato d'acqua e 'nnaffiò adascio adascio il tirreno.

Accussì lei la matina, arrisbigliannosi, avrebbi visto la terra vagnata e si sarebbi ralligrata.

Dieci

Appena che accomenzò ad agghiurnare, mungì la crapa, quadiò il latti e lo portò a sò mogliere. Po' sinni annò nella pilaja. Nella luci dell'alba, colonne àvute di fumo si isavano dalle parti di Vigàta, di Montereale, di Sicudiana. Il danno, stavota, era stato grosso assà. Si vidi che il miricano doviva essiri 'na pirsona 'mportanti. I treni non passaro, né quello che si partiva da Vigàta né quello che viniva da Castellovitrano. Voliva aviri notizie epperciò sollivò la cornetta del tilefono. Era muta, la linea tilifonica doviva essiri stata colpita. Il casello ora era completamenti isolato.

Meglio accussì.

Verso mezzojorno si calò nel pozzo, e appena principiò la salitella la voci del miricano fici:

«Cu è?».

«Io sugnu».

Trasì nella grutta. Il miricano gli sorridì e rimisi dintra allo zaino il revorbaro che tiniva 'n mano.

Si era cumminato bono, aviva durmuto dintra a 'na speci di sacco e si era appena fatto la varba.

«Ti servi nenti?».

«Nenti. Talè, io lasso ccà lo zaino. Se mi serbi, torno a pigliarlo».

«Vabbene».

Il martidì a mezzanotti sintì tuppiare a leggio. Annò a rapriri. Era don Simone. Nino lo fici trasire e assittare.

«Tutto beni?».

«Tutto beni».

«Tò mogliere?».

«Bona è».

«Unn'è il miricano?».

«Ci lo vajo a chiamari».

Quanno il miricano arrivò, don Simone gli parlò in miricano. Un quarto d'ura appresso sinni partero.

Nino annò a vagnare la terra a Minica.

Però certe vote Nino si scoraggiava assà. Ma si potiva annare avanti accussì? Per quanto tempo ce l'avrebbi fatta a resistiri a quella situazioni? E se mentri travagliava gli capitava qualichi cosa, metti 'na firita, 'na caduta che non l'avrebbi fatto cataminare per qualichi jorno, chi avrebbi abbadato a sò mogliere, chi se ne sarebbi pigliato cura? Certe notti che questi pinseri l'angustiavano chiossà del solito, gli viniva gana di annare nell'orto, scavarisi un fosso allato a quello di Minica, trasiricci dintra e circari d'addivintari àrbolo macari lui. 'Na pazzia? Che addivintava l'omo doppo morto? Pruvolazzo. Cangiava. E non si potiva cangiare da vivo? S'arricordò che alle scoli limentari 'na vota il maestro aviva contato che l'allo-

128

ro, l'addrauro, in origini era stata 'na beddra picciotta che po' si era cangiata in pianta. Se nell'antichità lo potivano fari, pirchì ora l'omo non ne era cchiù capace?

Minica, che oramà si era arridutta sicca sicca, peddri e ossa, non mangiava cchiù se non a scangio: se Nino dava in qualichi modo adenzia all'àrbolo che lei voliva addivintari, allura lei rapriva la vucca e si agliuttiva latti, ova, macari tanticchia di brodo. Masannò, nenti, arrefutava la qualunque.

Non c'era verso. Epperciò Nino era assolutamenti obbligato a 'nvintarisinni una ogni jorno.

'Na vota annò con 'na coffa da 'Ntonio Trupia, che aviva a dù vacche e che sinni fumava il fumeri, che sarebbi la loro merda, 'nzemmula al tabacco.

«Mi la inchiti 'sta coffa di fumeri?».

«No. Mi serbi per fumarimillo».

«Ma io ve lo pago».

«Allura è 'n'autro discurso».

Mità del fumeri lo spargì supra al tirreno di Minica.

«Ti staio concimanno».

E quella, per ringrazio, mangiò.

'N'autra vota le fici tiniri le vrazza appuiate alle forcelle e le tagliò con una forfici i peli dell'asciddre.

«Ti staio potanno» le dissi.

'N'autra vota ancora le accorzò i capiddri.

«'Sti ramuzzi erano addivintati troppo longhi».

La vita di Nino oramà bidiva a orari pricisi, cchiù pricisi di quelli del passaggio dei treni. La matina portava l'acqua e la virdura alla crapa e la mungiva. Quadiava il latti e lo faciva viviri a sò mogliere. Po', con la sponza e l'acqua del cato, la puliziava tutta.

A mezzojorno e mezza priparava il mangiare, la pasta per lui e dù ova per lei, po' lavava i piatti.

La sira invece cociva 'na ministrina di virdura per lei e lui s'accontintava di pani e tumazzo o pani e olive. Prima che faciva scuro, la puliziava ancora.

A novembriro accomenzò il friddo.

Allura annò a Vigàta e accattò dù coperte di lana belle pisanti che tagliò e cusì con la zaccurafa e lo spaco in modo da fari 'na speci di sacco, aperto ai lati, che le si potiva 'nfilari dalla testa. Semprici a mittirisi e semprici a livarisi. 'N caso di nicissità, ci si potiva assistimari supra la mantella di tila cirata col cappuccio.

Ma nello stisso novembriro ogni notti che era ogni notti l'aeroplani pigliaro la bitudine di viniri a bummardari la costa.

'Na matina, che le aviva portato il latti, Minica l'arrefutò.

«Doppo».

«Doppo chi cosa?».

«Mi devi trapiantare».

A logica d'àrbolo, aviva raggiuni. Era vinuto il tempo che avrebbi dovuto essiri trapiantato, macari se non era stascione. Non si provò manco a tintari di faricci cangiare idea, si era subito fatto pirsuaso che se non faciva quello che lei voliva, Minica non avrebbi mangiato né quella jornata né appresso.

Pigliò lo zappuni, accomenzò a scavari un fosso a quattro passi da indove stava lei. Lo fici funnuto in modo che sarebbi ristata 'nfussonata fino a mezza coscia. Ci svacantò dintra un cato d'acqua. Po' miscelò la terra con il fumeri che era ristato e annò a sradicari a Minica. Era un travaglio da fari con le mano, con lo zappuni potiva farle mali.

Quanno i piduzzi vinniro allo scoperto, gli pigliò un sintòmo. Stavano veramenti addivintanno radici! Ma com'era possibbili?

Le dita, in punta, avivano perso ugna, pelli e carni e ammostravano lo scheletro. Erano come un paro di quasette sfunnate che lassano nesciri fora le dita. Solo che ccà invece vinivano fora l'ossiceddri, fini fini, tanticchia giallusi e cummigliati a tratti di macchiuzze virdi, 'na speci di muschio. Sinni stavano piegati e avivano già artigliato il tirreno.

Forsi sarebbi abbastato ancora qualichi altro jorno...

Non ce la fici a reggiri al pinsero, si susì trimanno, un marteddro gli martiddriava la testa, vidiva annigliato. Voliva scapparisinni lontano.

«Non mi lassari le radici scummigliate! Si pigliano di friddo!» gridò Minica.

Fu quel grido a fargli accapire che l'obbligo sò era di continuari. Pigliò 'n potiri a sò mogliere, la 'nfilò addritta dintra al novo fosso.

«Ti va beni?».

«Sì».

Cummigliò il fosso. E po' travaglianno fino alla sira, le rimise i pali allato e le riflabbicò il capanno.

Passaro jorni. Minica oramà non parlava cchiù con la vucca, ogni tanto gli diciva qualichi cosa con l'occhi. Ma s'accapivano alla perfezioni.

'Na matina, doppo che aviva finuto di vivirisi il latti, parlò.

Ma siccome che non c'era cchiù bituata, quello che lei dissi Nino non l'accapì.

«Chi dicisti?».

«... nni tempu... stari».

«Tempu di ristari?».

Lei fici 'nzinga di no con la testa.

«Aspe... tta» dissi.

Si misi a rapriri e a chiuiri la vucca come se si ripassava le palori e po' fici chiaro chiaro:

«Vinni 'u tempo d'innistarimi».

Voliva essiri 'nnistata!

«Ma pirchì voi addivintari àrbolo?» addimannò Nino dispirato.

L'occhi di Minica, per un sulo momento, tornaro a essiri vivi.

«Voglio fari frutti».

Allura Nino accapì. Se non ce l'aviva potuto fari come fìmmina ad aviri figli, voliva provari a fari frutti addivintanno àrbolo.

E in quel momento giurò che l'avrebbi sempri accuntintata, a costo d'addivintari lui stisso concime, terra, filo d'erba, acqua.

«E quali frutti voi fari?».

«Nespoli. 'Nnestami».

Le si misi di darrè, la fici calare tanticchia in avanti dicennole di tinirisi con le mano ai dù pali, le sfilò il sacco dalla testa, si calò i cazùna e l'innestò.

La pelli di Minica sapiva d'erba tagliata di frisco.

«Macari potissi capitari un miracolo!» pinsò mentri che si svacantava dintra di lei.

Ma non capitò. Anzi. Passata qualichi simanata, a Nino vinni sempri cchiù difficili persuadiri a Minica di mangiari.

«Ma pirchì non mangi, ah? Mi vuoi fari nesciri 'u senso?».

Lei certe vote lo taliava e certe altre manco isava l'occhi.

Un jorno Nino vinni pigliato da 'na botta di raggia, con la mano mancina le sirrò la facci con tutta la forza che aviva, l'obbligò a rapriri la vucca, a vivirisi il latti.

«'Nutili» dissi lei alla fini.

«Pirchì dici che è inutili? Si non mangi, mori».

«Ac... cetta».

«No, non l'accetto che mori!».

Minica scotì la testa come a diri che non aviva accapito.

«Pi... glia... ac... cetta».

«Voi che piglio l'accetta?».

Fici 'nzinga di sì con la testa.

«E pirchì?».

«Di... l'àrboli... senza frutti... sinni... fa... ligna».

La matina del 23 dicembiro l'aeroplani si rificiro la passiata linea linea.

E stavota non sulo mitragliavano, ma macari bummardavano.

Quanno tutto accomenzò, Nino s'attrovava davanti al casello e taliava il treno che si stava firmanno a 'na decina di metri di distanzia mentri 'na poco di passiggeri si ghittavano fora dai vagoni ancora in movimento per scappari campagna campagna.

In quel priciso momento dù aeroplani passaro rasenti e sgangiaro. Dù bumme pigliaro il treno, la terza annò a finiri a 'na vintina di metri darrè al casello. Per lo spostamento di l'aria, Nino vinni scrafazzato contro il muro, sbattì forti la testa. Sinni ristò sbinuto qualichi minuto stinnicchiato 'n terra. Po' raprì l'occhi e s'attrovò in un mari di sangue. Ma di subito si fici capace che non era cosa gravi. Dal treno vinivano voci di prighere, lamenti, biastemie, dimanne d'aiuto.

Trasì 'n casa, affirrò 'na pezza, si lavò la facci, con un'altra pezza pulita si cummigliò la testa e corrì nell'orto.

Ci morse il cori. Il capanno non c'era cchiù, stava sparpagliato 'n terra, distruggiuto. E 'n terra c'era macari la robba di Minica, il sacco fatto di coperte, la mantella 'mpermeabbili.

Ma lei non c'era. Era arrinisciuta a nesciri fora del fosso e sinni era scappata.

Allura Nino accomenzò a circarla, chiamannola con quanta voci aviva. Ora torno torno c'era un gran silenzio, manco i cani abbaiavano. Sicuramenti non era annata a parti di mari, l'avrebbi viduta.

Principiò a corriri verso la casa d'Agustino e, passanno vicino al granni àrbolo d'aulivo, quello sutta al quali si erano arriparati nell'altro bummardamento, notò qualichi cosa di strammo che in prima non accapì.

S'avvicinò.

Minica era trasuta dintra al cavo del tronco. Nuda e sicca sicca com'era, le vrazza isate, le mano che le scomparivano dintra alle spaccature interne del tronco, si era talmenti arravugliata da addivintari un tutt'uno con l'àrbolo.

A Nino, a malgrado che lei non aviva la forza di fari resistenzia, vinni difficili assà tirarla fora. Quanno ci arriniscì, controllò se aviva firite, non ne aviva, sulo qualichi gracciuni che s'era fatto quann'era trasuta nell'àrbolo d'aulivo. Se la carricò supra alle spalli e se la riportò narrè.

Doviva mettirla al sicuro, l'aeroplani di certo sarebbiro tornati.

La posò allato al pozzo, corrì 'n casa, pigliò la torcia, tornò nell'orto, si ricarricò a Minica che non si cataminava, era come sbinuta, agguantò la corda, sinni calò. Sempri tinennola accussì, la portò dintra alla grutta, la corcò supra a quella speci di sacco che il miricano aviva lassato e sinni riacchianò.

Gli nisciva ancora sangue dalla testa. Si lavò novamenti, si passò supra alla firita tanticchia d'allume che

gli sirviva quanno si tagliava facennosi la varba. Si misi 'na fasciatura pulita e s'apprecipitò verso il treno a
dari 'na mano d'aiuto.

La linea ferroviaria da Montereale fino al loco indove il Vigàta-Castellovitrano era stato bummardato era
ristata sana e accussì, doppo un'orata, arrivò un treno
militari con sordati, medici, 'nfirmeri. Nino, il capotreno don Gaspano, il machinista e qualichi passiggero di bona volontà, prima che arrivavano i militari, ti-
rarono fora dalle vitture colpite i firiti e li stinnicchiaro 'n terra sutta all'àrboli. Dù motoscafi della marina
arrivaro squasi a ripa, accomenzaro a carricare i firiti,
che erano 'na trentina, e a portarli a Vigàta. I morti
foro deci, tri fìmmine e setti mascoli. Una delle tri fìmmine potiva aviri sì e no 'na vintina d'anni. 'Na scheggia le era trasuta dritta al cori.
Alle setti di sira, tutto era finuto. Sganciaro la locomotiva che proseguì per Sicudiana. Supra al binario ristaro le carcasse dei tri vagoni distrutti dalle bumme.
Nino, senza perdiri tempo, annò a mungiri la crapa, quadiò il latti, lo misi dintra a 'na buttiglia, si calò dintra
al pozzo. Attrovò a Minica come l'aviva lassata. Le s'agginocchiò allato, le pigliò la testa, respirava, forsi dor-
miva un sonno profunno, arriniscì a farle viviri il latti a picca a picca, senza che s'arrisbigliasse. Po' tornò
supra, trasì in casa, pigliò 'na coperta e annò a cummigliare a sò mogliere, per quanto dintra alla grutta non
faciva né càvudo né friddo. Pinsò che se sbacantava tanticchia lo zaino del miricano, avrebbi potuto serbiri per

cuscino. Lo raprì. La pistola non c'era cchiù, dintra ci stavano mutanne, quasette, un paro di pantaloni e tra l'altri cose, cinco scatolette di cartoni. Ne raprì una. Era robba di mangiare! C'erano macari barrette di zuccaro e di cioccolatto! Si misi nella vucca mezza barretta di cioccolatto, la sciogliì, non se l'agliuttì, posò le labbra supra a quelle di Minica, gliele raprì e le fici colari dintra alla vucca il cioccolatto squagliato.

La matina appresso s'arrisbigliò cchiù tardo del solito, il soli era già àvuto.

La firita alla testa non gli sanguliava cchiù, sintì sonari il tilefono a pianoterra e annò a risponniri. Era il capostazioni di Montereale.

«Volivo controllari se la linea funzionava, l'aggiustaro stanotti».

«Sissi, funziona».

«Senti, stamatina verso le unnici arrivano quelli del Genio militari con un carro gru e libbirano i binari. Mettiti a disposizione».

«Il servizio quanno ripiglia?».

«Domani a matino».

Detti da viviri e da mangiari alla crapa, quadiò bello càvudo il latti, lo misi dintra alla buttiglia, po' pigliò il lumi a pitroglio e 'na scatola di surfareddri, annò nella grutta.

Minica durmiva sutta alla coperta. La sollivò per taliarla, non si era allordata, l'avrebbi lavata in sirata. Fici come il jorno avanti, sulo che dintra alla buttiglia ci fici squagliari la mezza barra di cioccolatto, le si agginocchiò allato, le sollivò la testa, accomenzò a farla viviri a picca a picca. Po' addrumò il lumi, accussì se Minica s'arrisbigliava, non s'attrovava allo scuro. E dato che ancora aviva tanto tempo, fici un altro viaggio e stavota portò nella grutta cannile, 'na lanna di pitroglio, il cato e la sponza. Po' riacchianò.

Ancora mancava un'orata e mezza all'arrivo di quelli del Genio militari.

Le tri vitture erano scheletri. E torno torno, sparpagliati 'n terra, balige, scarpi, cappeddri, truscie... Gli vinni un pinsero: capace che circanno 'n mezzo a quella robba, potiva attrovare qualichi cosa che potiva sirbiri a Minica.

Arrivato all'altizza del primo vagoni, vitti 'na baligia ancora chiusa. La raprì. Era china di buatte di conserva di pommodoro, doviva appartiniri a qualichiduno che faciva borsa nera. La richiuì e se la portò 'n casa, niscì novamenti e mentri stava raprenno 'na truscia, sintì un gattareddro che chiangiva. Dintra alla truscia c'erano cose che potivano serbiri a un picciliddro appena nasciuto, panni, bibirò, cuffietta, fasci, un pacchetto di spingule di nurrizza, 'na scatola di talco... No, quella non era robba che potiva cchiù serbiri a Minica.

Stava per ripigliari a caminare quanno il gattareddro miagolò arrè. Se non avissi attrovato la truscia, forsi avrebbi continuato a pinsari che era un gatto. Inveci s'apparalizzò, con l'orecchi tise. E doppo tanticchia quella speci di miagolio s'arripitì. No, non era un gatto, ma il lamintio di 'na criatura! Ristò fermo, come un cani di punta. E appena risintì il lamintio, scattò verso a 'na troffa d'erba àvuta crisciuta allato al binario. Scostò con le mano adascio adascio i fili rinsiccuti e lo vitti.

Era 'na criatura nuda, un mascoliddro che potiva aviri un dù misi.

Lo pigliò dilicato, lo isò, lo taliò. Era sano, non aviva arricivuto firite, nenti. Se lo stringì al petto con una mano, con l'altra affirrò la truscia e si misi a corriri verso casa.

Lo posò supra al tavolo, lo lavò, l'asciucò, ci passò il talco, gli misi la fascia che tinni attaccata con una spingula di nurrizza, ci 'nfilò 'n testa 'na cuffietta. Ora il picciliddro chiangiva come un dispirato. Da quann'è che non mangiava? Lo lassò supra al tavolo, annò a mungiri la crapa, aviva picca latti ma forsi era bastevoli, lo quadiò appena appena, lo versò nel biberò, il picciliddro accomenzò a vivirisillo.

Allura Nino glielo livò dalla vucca senza curarisi che il picciliddro chiangiva cchiù forti di prima, annò di cursa nel pozzo, si calò.

Dintra al corridoio scavato nella marna il chianto della criatura all'improviso fici eco e po' nella grutta si moltiplicò, parse che a chiangiri, a dimmannare aiuto fossero minimo 'na decina di picciliddri.

E Nino, addivintato 'na statua, vitti a Minica che a lento rapriva l'occhi, si susiva tanticchia appuiannosi a un vrazzo e sorridenno diciva:

«Dunamillo ccà».

Glielo detti. Lei gli rimisi il biberò nella vucca e il picciliddro finì di chiangiri.

Nino, per la cuntintizza, addrumò tutte le cannile, che erano 'na decina.

Nella grutta, col bianco della marna, pariva che si era fatto jorno.

Nota

Come *Maruzza Musumeci* anche questo racconto parla di una metamorfosi (che qui però rimane solo un tentativo). Svolgendosi la storia in tempi relativamente recenti, mi pare opportuno precisare che si tratta di un prodotto della mia fantasia. Ogni coincidenza di nomi e situazioni è perciò casuale.

A. C.

Indice

Il casellante

Questo volume è stato stampato
su carta Palatina
delle Cartiere Miliani di Fabriano
nel mese di giugno 2008
presso la Leva Arti Grafiche s.p.a. - Sesto S. Giovanni (MI)
e confezionato
presso I.G.F. s.r.l. - Aldeno (TN)

La memoria